W0171642

Tildas Tage sind strikt durchgetaktet: studieren, an der Supermarktkasse sitzen, sich um ihre kleine Schwester Ida kümmern und an schlechten Tagen auch um die Mutter. Zu dritt wohnen sie im traurigsten Haus der Fröhlichstraße in einer Kleinstadt, die Tilda hasst. Ihre Freunde sind längst weg, leben in Amsterdam oder Berlin, nur Tilda ist geblieben. Denn irgendjemand muss für Ida da sein, Geld verdienen, die Verantwortung tragen. Nennenswerte Väter gibt es keine, die Mutter ist alkoholabhängig. Eines Tages aber geraten die Dinge in Bewegung: Tilda bekommt eine Promotion in Berlin in Aussicht gestellt, und es blitzt eine Zukunft auf, die Freiheit verspricht. Und Viktor taucht auf, der große Bruder von Ivan, mit dem Tilda früher befreundet war. Viktor, der genau wie sie immer 22 Bahnen schwimmt. Doch als Tilda schon beinahe glaubt, es könnte alles gut werden, gerät die Situation zu Hause vollends außer Kontrolle.

›22 Bahnen‹ ist eine raue und gleichzeitig zärtliche Geschichte über die Verheerungen des Familienlebens und darüber, wie das Glück zu finden ist zwischen Verantwortung und Freiheit.

CAROLINE WAHL
22 BAHNEN

Roman

DUMONT

Von Caroline Wahl ist bei DuMont außerdem erschienen:

Windstärke 17

Das bei der Produktion dieses Buches entstandene CO_2 wurde
durch die Finanzierung von Klimaschutzprojekten kompensiert:
climate-id.com/17531-2110-1001/de

7. Auflage 2024
DuMont Buchverlag, Köln
Alle Rechte vorbehalten
© 2023 DuMont Buchverlag, Köln
Umschlaggestaltung: Lübbeke Naumann Thoben, Köln
Umschlagabbildung: © Eileen Corse/www.eileencorse.com
Satz: Fagott, Ffm
Gesetzt aus der Kepler
Druck und Verarbeitung: CPI books GmbH, Leck
Gedruckt auf säurefreiem und chlorfrei gebleichtem Papier
Printed in Germany
ISBN 978-3- 8321-6724-0

www.dumont-buchverlag.de

Für meine Mama, die immer da ist

TEIL 1

Hafermilch, Mandelmilch, Cashewmus, tiefgefrorene Himbeeren, Hummus, Kölln Haferflocken, Chiasamen, Bananen, Dinkelnudeln, Avocado, Avocado, Avocado. Ich spiele: Ich darf nicht hochschauen. Circa 30, männlich, schlaksig, rahmenlose Brille, Levi's-Shirt, rate ich, sage »30,72 Euro«, schaue endlich hoch, und als ich den Levi's-Schriftzug sehe, ist das ziemlich cool und vielleicht sogar der bisherige Höhepunkt meines Tages. Es ist zwar eine jüngere Frau, aber das T-Shirt richtig zu erraten ist schon stark.

4 Stunden später lege ich die Gut&Günstig-Variante von Mirácoli-Nudeln, Gut&Günstig-Haferflocken, Dr. Oetker Bourbon-Vanille-soße und Vollmilch auf das Band. »4,06 Euro«, sagt Frau Bach, ich zahle, stopfe die Sachen in meinen Rucksack und renne zum Bahnhof.

Straßenbahn, Uni, Übungsaufgaben und Texte kopieren. Ich habe einen strikten Zeitplan, in den ein in 3 von 4 Fällen nicht funktionierender Kopierer einfach nicht reinpasst. »Papierstau«. Ich spüre, wie sich beim Anblick dieses Wortes die Wut in mir aufstaut, balle die Fäuste und starre diesen weißen, doofen Klotz an. Zerstörungswut.

Straßenbahn, Übungsaufgaben lösen, Schwimmen, Ida. Der Übungszettel ist machbar, und ich schaffe es, alle Aufgaben während der 69-minütigen Fahrt von der Uni zum Schwimmbad zu lösen. Ich atme den Chlorgeruch tief ein, schmeiße meinen Rucksack auf die Bank neben Ursulas bunten Korb, ziehe das Kleid über meinen Kopf, springe kopfüber ins Wasser, tauche in den tiefen Bereich bis zum

Grund, setze mich auf den Boden und schaue mir das Geschehen im Becken von unten an. Viele unkoordiniert zappelnde Kinderbeine, ein paar mehr oder weniger koordiniert zappelnde Seniorenbeine, tauchende Kinderkörper, gemischte Beine am Beckenrand. Insgesamt sieht das Zusammenspiel dieser vielen Bewegungen nach Spaß aus, sofern ich das von hier unten beurteilen kann. Ich stoße mich vom Boden ab, um wie immer meine 22 Bahnen zu schwimmen, und als ich bei der 20. oder 22. Bahn nicht sicher bin, ob es die 20. oder 22. ist, ärgere ich mich und schwimme zur Bestrafung noch 5 zusätzliche Bahnen.

Ursula: Vorhin ist ein kleiner Junge auf mich gesprungen. Einfach so. Ich schaue sie fragend an.

Ursula: Ich bin ganz normal geschwommen. Wie immer entspannt Richtung Beckenrand, und auf einmal sehe ich diesen rothaarigen kleinen Bengel vor mir, wie er 3 Schritte zurückgeht, Anlauf nimmt und auf mich drauf springt. Einfach so.

Ich: Krass.

Ursula: Und ich könnte schwören, dass er die ganze Zeit Blickkontakt mit mir hatte, schon bevor er die 3 Schritte zurückgegangen ist. Das war kein Versehen.

Ich nicke.

Ich: Der wollte einfach auf dich drauf springen.

Ursula: Ja.

Wir schweigen.

Ich: Zeig ihn mir mal.

Ursula nickt.

Ich: Dann spring ich auch mal auf ihn drauf.

Ursula nickt.

Wir schweigen. Mit Ursula kann man gut schweigen. Sie stellt keine dummen Fragen. Sie redet nur, wenn es etwas zu reden gibt, das relevant ist, wie etwa ein auf sie drauf springender Junge. An manchen Tagen sitzen wir nebeneinander auf ihrer Bank, ohne ein Wort zu wechseln. Wir schließen beide die Augen und lassen uns von der Sonne trocknen. Zum Abschied nicken wir uns dann zu.

Ursula: Wo ist die Kleine?

Ich: Ida kommt doch nur mit, wenn es regnet.

Ursula nickt.

Ich schmiege meinen Rücken an die von der Sonne aufgeheizte Banklehne und schließe kurz die Augen. Es sind die ersten richtig heißen Tage dieses Jahr. Der Juni war durchwachsen und eher ein April oder Mai. Ich ziehe die Sommerluft tief ein. Sonnencreme, Chlor, Pommes und Ursulas intensives Parfüm füllen meinen Körper. Ich öffne meine Augen und schaue mir den pastelligen Abendsonnenhimmel an, ziehe ihn auch tief ein und fühle mich leicht und warm. Ich überblicke das Becken. Der Nichtschwimmer-Bereich wird zum Großteil von einer rutschenden Jungsgruppe beherrscht, ungefähr in Idas Alter, die vollkommen überdreht in das Becken reinschießt wie ein Maschinengewehr. Auf der anderen Seite 2 miteinander quatschende Mütter mit Kleinkindern auf dem Arm, und kurz vor dem mit einem Seil abgetrennten Schwimmer-Bereich spielt ein Mann mit einem Mädchen und einem Jungen Wasserball. Ich schätze, ein Vater mit seinen Kindern. Die Kinder glucksen vor Freude, und ich frage mich, ob sie oft mit ihrem Vater Wasserball spielen oder ob es etwas Einmaliges ist und die beiden sich deshalb so freuen. Am Beckenrand des Schwimmer-Bereichs hängen Teenager herum, und ich erkenne ein paar Mädchen aus meiner ehemaligen Stufe, die sich bräunen. Angelina, Lena und Jana. Ich hebe die Hand zum Gruß. Angelina winkt mit einem gezwungenen Lächeln zurück. Wir mögen uns, glaube ich, nicht. Mein warmer Körper zuckt zusammen, und ein kalter Schauer läuft mir über den Rücken. Ivan, denke ich, als ich den großen, weißblonden Typ mit den schwarzen Badeshorts auf dem Block und sein Gesicht mit dem unverwechselbaren, bösen Blick sehe, und schlucke. Ivans schmales, markantes, gebräuntes Gesicht, die eisblauen Augen, darüber die stets leicht zusammengezogenen dichten Augenbrauen, die kleine Zornesfalte dazwischen und die zu einem geraden Strich gezogenen schmalen Lippen. Ivans Gesicht ist nach Idas das zweitschönste Gesicht, das ich kenne. Kannte. Mir wird übel. Ein Seil zieht sich ganz fest um meinen Hals. Ich schlucke ein paarmal, versuche, die Sommerluft tief in den engen Hals einzuziehen, Platz zu machen, blinzele und konzentriere mich. Das muss Ivans großer Bruder sein, denn Ivan kann es ja nicht sein. Ich suche nach seinem Namen, und es macht mich so wütend, dass er mir nicht einfällt. Während ich nach seinem Namen krame, versuche ich, sein Gesicht genauer zu betrachten, was schwerfällt, weil es so weit weg ist, aber es sieht eindeutig anders aus als Ivans. Sein Blick ist noch grimmiger und vor allem undurchdringbarer als Ivans, die Augenbrauen stehen noch enger zusammen, die Zornesfalte ist tiefer, und die Lippen sind zu einem noch geraderen Strich gezogen. Was macht er denn hier? Der wohnt doch in London oder so. Er zieht die Schwimmbrille über die Augen, macht einen eleganten Kopfsprung und krault. Seine geradlinigen, schnellen, kraftvollen Züge setzen sich von dem restlichen Chaos im Becken ab. Wenn er sich vom Beckenrand abstößt, ist er bestimmt 10 Meter unter der Wasseroberfläche, bis er auftaucht und in höchstens einer halben Minute den Beckenrand erreicht, von dem er sich dann wiederum in einer Rollwende abtauchend abstößt. Mein Blick folgt jeder seiner Bewegungen, und ich denke an seinen kleinen Bruder, an sein raschelndes leises Lachen, an seine heisere Stimme. Ich lasse den großen Bruder nicht aus den Augen, weil ich Angst habe, ihn zu verlieren. Außerdem hat er wirklich einen schönen Schwimmstil, den man hier selten zu sehen bekommt.

Nach der 22. Bahn taucht er nicht ab, bleibt am Beckenrand, nimmt die Brille ab, dreht sich um, und sein Blick trifft den meinen. Wir schauen uns an. 51 Meter liegen zwischen uns, und alles wirkt gedämpft. Irgendwann zieht er die Augenbrauen hoch, ich weiß nicht, was ich machen soll, ziehe meine zusammen und mein Kleid über meinen noch nassen Badeanzug, werfe mir meinen Rucksack über die Schulter, nicke Ursula zu und gehe nach Hause. Auf dem Nachhauseweg fühle ich mich wie in Trance und denke an den großen Bruder, dessen Name mir einfach nicht einfällt. Marlene weiß ihn bestimmt. Sie kommt am Wochenende in die Heimat, weil irgendeine Party stattfindet. Ab morgen schwimme ich 23 Bahnen, auch wenn mir die Zahl nicht so geheuer ist.

In der Fröhlichstraße grüße ich Herrn Feigel, der Rasen mäht, und nicke der jungen 5-köpfigen Familie zu, die vor ein paar Wochen in das hellblaue Haus neben uns eingezogen ist und gerade im Garten vor dem Haus grillt. Das Wohnhaus, in dem wir leben, ist das einzige Mehrfamilienhaus in der Straße und sieht an diesem Sommerabend neben den Einfamilienhäusern, vor denen fröhlich Rasen gemäht und gegrillt wird, noch trauriger aus als sonst. Wie immer scanne ich die Fenster unserer Wohnung. Die Scheiben in unserer Küche sind beschlagen. Mama hat gekocht. Ich schließe schnell die Haustür auf, trete in den stillen, kühlen Flur und öffne die 1. Tür, vor der eine Matte liegt, auf der »Welcome« steht, obwohl hier eigentlich niemand willkommen ist. Ich rieche Verbranntes und Curry, Curryhuhn, schätze ich, trete in die Küche und stehe im heißen Dampf. Ida hat den Herd bereits ausgemacht. Darauf 2 Töpfe, einer mit verbranntem Reis und einer mit einer verkohlten, undefinierbaren Currymasse. Ich öffne die Fenster und bin erleichtert, dass der Feuermelder noch nicht angegangen ist. Das wäre wieder peinlich gewesen. Auf der Küchenablage eine umgekippte Sahne, Mehl, sämtliche Gewürze, die wir besitzen. Eine Schublade steht offen, auf dem Boden der Inhalt der Schublade. Lose Nudeln, Cornflakes, Paniermehl, Haferflocken und ein leeres Weinglas. Sie hat irgendwas gesucht. Vermutlich hat sie nach der gescheiterten Suchaktion wütend ihre Kochsession beendet. Dass das Huhn allein ausgepackt auf dem leeren Esstisch liegt, sieht irgendwie gruselig aus. Ich friere es ein und öffne die Tür ins Wohnzimmer, in dem die Köchin auf dem Sofa liegt. Ihre braunen Haare hängen ihr im Gesicht, ihr Mund ist leicht geöffnet. Das befleckte weiße Sommerkleid erinnert an den Latz eines Kleinkindes. Eines weintrinkenden Kleinkindes. Mama zieht gern Kleider zum Kochen an, weil sie meistens gut drauf ist, wenn sie den Entschluss trifft zu kochen. Diese Curry- und Rotweinflecken werde ich nicht rausbekommen, das Teil muss in den Müll. Das körperbetonte Kleid in Häkeloptik habe ich ihr letztes Jahr zum Geburtstag geschenkt, und es ist ihr inzwischen sowieso viel zu groß. Ich streiche ihr die Haare aus dem blassen Gesicht und lege ihr ein Kissen unter den Kopf, sage »Du dummes Huhn«, was sie natürlich nicht hört, weil sie tief und fest schläft, verlasse das Wohnzimmer und klopfe an Idas Tür, 2-mal schnell, kurze Pause, 3-mal langsam, und öffne sie. Ida malt. Wie immer. »Mama hat wieder gekocht«, sagt sie leise, ohne von ihrer Zeichnung hochzuschauen.

Ich: Ich weiß. Hast du schon was gegessen?

Ida schüttelt den Kopf.

Ich: Ich mache uns Mirácoli-Nudeln?

Ida: Mirácoli oder Gut&Günstig?

»Mirácoli«, lüge ich.

Ich beseitige das Schlachtfeld in der Küche, koche die Nudeln, rufe Ida, wir essen, Ida will heute nicht reden, wir putzen Zähne, ich bringe sie in ihr Zimmer, sie legt sich in ihr Bett, und ich setze mich auf die Bettkante.

Ich: Morgen soll es regnen.

Ida: Ich weiß.

Ich: Schwimmbad?

Ida: Ja.

Ich: Gut. Dann schlaf gut. Hab dich lieb.

Als ich ihre Tür schließe, höre ich ihr leises »Ich dich auch«.

Endlich liege ich im Shirt mit dem Rücken auf meiner Matratze, die Decke zusammengeknüllt am Fußende, und lasse die abgekühlte Sommernachtsbrise auf mich fallen. Ich bin erschöpft, spüre die schwere Müdigkeit in jeder Faser meines Körpers und würde sofort einschlafen, sobald ich meine Augen schließen würde. Aber ich möchte das Einschlafen so lange wie möglich hinauszögern, weil das hier mit die besten Momente des Tages sind, die ich nicht weggeben möchte. Diese Momente, die nur mir gehören, in denen ich nichts tun, nichts denken muss, in denen ich einfach nur liegen und die abgekühlte Sommernachtsbrise durch die weit geöffneten Fenster auf mich fallen lassen darf. Meine Augen sind auf das Fenster gerichtet, ich sehe die Umrisse der Tannen hinter unserem Haus. Ich konzentriere mich auf die Geräusche und Gerüche, höre das Zirpen der Grillen, ab und zu ein Auto, eine jaulende Katze, sonst nichts. Ich rieche Sommernacht, Rasen, Blumen.

Wenn ich nachts auf meiner Matratze liege und der Wind oder diese Sommernachtsbrise durch die weit geöffneten Fenster auf mich fällt, dann scheint kurz alles gut zu sein. Dann fühle ich mich leicht. Wenn ich nachts auf meiner Matratze liege, dann denke ich, dass ich das Ganze da draußen noch lange aushalten kann. Solange der Wind nachts auf mich fällt, denke ich, kann ich mich tagsüber in den Krieg da draußen stürzen. Gegen meine Mutter, gegen ihre Launen, gegen diese Kleinstadt. Und für Ida.

Der Regen prasselt gegen das Fenster des Seminarraums, und ich will raus.

Herr Grund rechnet an der Tafel eine Aufgabe des letzten Übungszettels nach, und Anna nervt mich mit unnötigen Fragen, weil sie versucht, meine Lösungen des neuen Übungszettels abzuschreiben, und meine Schrift nicht lesen kann. Sie wird die Klausur nicht bestehen. Wie sie es überhaupt in das Vertiefungsmodul und in das Masterkolloquium geschafft hat, ist mir ein Rätsel. Es ist ja nicht so, dass wir so was wie Germanistik oder Kunstgeschichte studieren.

Anna: Tilda, kannst du mir deine Lösungen per Mail schicken? Abschreiben dauert so ewig.

Ich: Ich habe die Lösungen nicht abgetippt.

Anna: Aber du musst sie doch sowieso bei Moodle hochladen.

Muss ich nicht. Ich denke und rechne am liebsten mit Block und Bleistift, auch Forschungsliteratur drucke ich mir meistens aus, oder ich leihe die Bücher. Ich kann am Laptop nicht denken. Meine Bachelorarbeit habe ich auf dem Block geschrieben und bearbeitet und dann im letzten qualvollen Schritt abgetippt. Dass ich eine der wenigen bin, wenn nicht sogar die Einzige, die ihre Übungszettel-Lösungen in sämtlichen Übungsgruppen in Papierform abgeben darf, musste ich mir mit stets überpünktlicher und tendenziell fehlerloser Abgabe erst erarbeiten. Und als ob ich mich wegen Annas Faulheit heute an meinen Laptop setzen, geschweige denn an einen Kopierer anstellen würde, um meine Lösungen einzuscannen. Sie lässt nicht locker und folgt mir, als wir den Seminarraum verlassen und ich mir durch die anderen Studenten den Weg zum Ausgang bahne.

Anna: Und kann ich sie kopieren? Wir können schnell zur Unibib. Dann geb ich dir einen Kaffee aus.

Ich: Kopier doch hier.

Anna: Schau dir mal die Schlange an. Es funktioniert nur noch ein Kopierer. In den anderen hat irgendein Psycho Wasser reingeschüttet.

Ich: Echt? Ich muss leider los. Nimm die Blätter mit oder mach ein Foto.

Anna: Dann nehme ich sie mit. Ich mag DIN A4 lieber als Foto.

Anna sagt oft so dämliche Sachen.

Ich: Mach ein Foto. Ich will sie morgen abgeben.

Anna schnaubt, bleibt stehen, fotografiert meine Lösungen, obwohl sie DIN A4 lieber mag als Foto.

Anna: Kommst du heute Abend mit zum Science-Slam?

Ich: Nee, hab schon Pläne, sorry.

Anna: Was denn für Pläne?

Ich: Schwimmbad.

Anna zeigt zur Fensterfront im Eingangsbereich des Gebäudes.

Anna: Es schüttet?

Ich: Schwimmen kann man ja trotzdem.

Anna: Du bist echt komisch, Tilda.

Ich zucke mit den Schultern, verabschiede mich und renne zur Haltestelle. Die Straßenbahn ist wegen des Regens brechend voll, und ich muss stehen. Ich hasse es, wenn ich in der Straßenbahn stehen muss. Dann kann ich die Fahrtzeit nicht optimal nutzen, weil Lesen und Rechnen schlecht funktioniert. Heute versuche ich es gar nicht erst und stehe einfach nur rum, schaue aus dem Fenster in den Regen und verschwende Zeit. Ich sehe die Stadt mit Cafés, Restaurants und Geschäften, die Balkone darüber mit bunten Stühlen und Pflanzen und frage mich wie so oft, wie die Altbauwohnungen von innen aussehen und wer darin wohnt. Die Straßenbahn leert sich allmählich, ich setze mich, hole das Buch *Brownian Motion and Stochastic Calculus* von Karatzas und Shreve aus meiner Tasche, lege es mir auf den Schoß und schaue weiter aus dem Fenster. Ich sehe die Stadt, wie sie zur Vorstadt wird, wie die Geschäfte, Restaurants und Cafés weniger und die Mehrfamilienhäuser zu imposanten Einfamilienhäusern mit eingezäunten Gärten werden. Ich sehe die Vorstadt, wie sie zu einer Wohnsiedlung wird, wie die Villen zu tristen, weißgrauen Reihen- und großen Mehrfamilienhäusern werden. Und dann sehe ich Felder. Viele Felder, die am Fenster vorbeiziehen. Die meiste Zeit der Fahrt sehe ich Felder, dazwischen Kleinstädte, die immer gleich aussehen, bis ich dann endlich meine Kleinstadt sehe, die aussieht wie die anderen Kleinstädte zuvor, und aussteige.

Ich kaufe bei Edeka noch schnell Suppengemüse und Muschelnudeln für die Hühnersuppe, renne die Fröhlichstraße entlang, die bei dem Regen nicht so fröhlich aussieht wie bei Sonnenschein. Als ich die Wohnungstür öffne, sitzt da eine umso fröhlichere Ida in ihrer pinken mit blauen Delfinen bedruckten Lieblingsleggins, in meinem roten, ihr viel zu großen Shirt und den weißen Fake-Chucks, die ich ihr letztens bei Deichmann gekauft habe, mit ihrem Snoopy-Rucksack und Regenschirm auf dem Schoß auf der Schuhkommode. Ich liebe ihren Kleidungsstil, vor allem weil sie eigentlich so ein schüchternes Mädchen ist. Wenn ich mit ihr im Bus oder in der Straßenbahn sitze oder wir im Schwimmbad sind, redet sie kaum mit mir, und wenn doch, dann flüstert sie fast. Und wenn ich sie zum Lachen bringe, hält sie sich die Hände vor den Mund. Als ich ihr im Schwimmbad letztens vorgeschlagen habe, ein anderes Mädchen, das allein vom Block gesprungen ist, anzusprechen, hat sie kurz laut aufgelacht und sich dann schnell wieder gefangen. Ida hat keine engen Freunde aus der Grundschule, mit denen sie sich in ihrer Freizeit trifft, aber sie wird auch nicht geärgert oder ausgeschlossen. Beim Elternsprechtag hat mir Frau Schwöbel gesagt, dass Ida eine sehr ruhige Schülerin ist, aber sich im Unterricht durchaus beteiligt und von ihren Mitschülern akzeptiert wird. Überrascht habe ich Frau Schwöbel gefragt, was Ida denn in der großen Pause macht, und die Antwort hat mich noch mehr verwundert: »Sie ist mit ihren Mitschülern zusammen. Meistens mit Karlotta und Finja. Sie spielen Fangen oder Ball.« Ich dachte irgendwie, dass sie still auf einer Bank sitzen und malen würde. Und ebenso wie Idas Pausenbeschäftigung wundern mich ihre Outfits, die so bunt und laut sind.

Ich: Na, meine Fashionista.

Mit ihrem runden strahlenden Gesicht, dem blonden Lockenköpf-chen und ihren braunen, großen Augen sieht sie aus wie das Tele-tubbies-Sonnenbaby.

»Es schüttet«, sagt das Sonnenbaby.

Ich tätschele ihr Lockenköpfchen, lege Gemüse und Nudeln auf die Kommode, nehme den Regenschirm, öffne ihn und renne durch die Haustür in den Regen Richtung Schwimmbad. Ida lacht, schmeißt die Tür zu und rennt mir hinterher. Es gibt nichts Schöneres, als Ida lachen zu hören.

Das Becken ist fast leer, nur 2 ältere Männer ziehen ihre Bahnen. Ida ist, sobald sie das leere Becken sieht, wie in Trance. Sie zieht ihre 5 Tauchringe aus dem Rucksack, wirft sie ins Becken, springt mit An-lauf ins Wasser und fängt an zu tauchen. Nach 23 Bahnen setze ich mich auf Ursulas Bank und schaue Ida zu. Sie ist unermüdlich, wirft die Ringe immer weiter und holt manchmal sogar 2 in einem Zug. Irgendwann platziert sie den Ring ungefähr in der Mitte des Beckens, schwimmt zu den Blöcken, holt mehrmals tief Luft und taucht bis zu dem Ring circa 25 Meter. Als sie mit dem Ring auftaucht, schaut sie mich an, und als ich ihr meinen hochgereckten Daumen zeige, strahlt sie, und ich strahle dann auch. Bis ich einen Blick spüre. Aus den Augenwinkeln sehe ich eine Person auf dem Block sitzen und ahne bereits, um wen es sich handelt. Unsere Blicke treffen sich, und wir starren uns an. Ich will eigentlich wegschauen, aber wenn er nicht wegschaut, dann darf ich ihn auch weiter anstarren. Erkennt er mich? Wir waren in derselben Schule, und er weiß bestimmt, dass ich mit seinem Bruder befreundet war. Zumindest hat er mich auf der Beerdigung gesehen. Da ist irgendwas in seinem Gesicht, das mich nicht loslässt. Vielleicht dieses überhebliche, belustigte Funkeln in seinen Augen und das kaum bemerkbare Zucken sei-nes Mundwinkels, das ich nur erahnen kann. Er grinst, steht auf, zieht die Schwimmbrille über die blauen Augen, macht einen Köpfer und krault ohne Pause seine 22 Bahnen. Wie gestern folgt mein Blick seinen Bewegungen, und ich frage mich, was er hier machen könnte. Bestimmt hat es irgendwas mit dem Haus zu tun, und morgen ist er wieder in Seoul oder Dublin, wobei ich ein wenig hoffe, dass er noch ein bisschen bleibt.

Sogar Ida vermag er mit seinem Schwimmstil aus ihrer Tauchtrance zu reißen. Sie schwimmt zu mir an den Beckenrand und flüstert: »Schau mal, Tilda! Der schwimmt schneller als du.«

Ich: Wer?

Ich beobachte ihn, wie er aus dem Wasser steigt, unter der kalten Dusche steht und in einer Kabine verschwindet. Eine Minute später kommt er in einer weiten Jeans, einem weißen, lockeren Shirt und Adiletten aus der Kabine. Er sieht, dass ich ihn immer noch anstarre, grinst und hebt die Hand zum Abschied. Benommen hebe ich meine Hand. Ida planscht und taucht weiter, bis sie sich irgendwann erschöpft neben mich setzt und flüstert: Kennst du den Schwimmer?

Ich: Nein.

Während ich die Hühnersuppe koche, sitzt Ida am Esstisch und macht Hausaufgaben, Mama liegt auf dem Sofa im Wohnzimmer und macht nichts. Das Licht in der Küche ist an, weil es draußen wegen des schlechten Wetters schon ziemlich dunkel ist, und man hört Regentropfen gegen die Scheibe und Fensterbänke klopfen. Als ich die Grießklößchen forme, auf die Ida besteht, »wenn es schon Krankenessen gibt«, spüre ich, wie ich entspanne und wie ich diesen Moment mit Ida in der Küche, diese ruhige Gemütlichkeit, während es draußen regnet, genieße. Ich forme den letzten Kloß, drehe mich um und lehne mich an die Küchenzeile, betrachte Ida, wie sie konzentriert an einem Aufsatz schreibt, rieche die Hühnersuppe und beschließe, noch einen Vanillepudding zu kochen. Es ist so schön gemütlich.

Ich: Es ist so schön gemütlich.

Ida schaut nicht auf und brummelt: Mhm.

Ich: Soll ich noch einen Vanillepudding kochen?

Ida schaut auf und sagt laut und deutlich: Ja.

Viktor. Als ich auf der Matratze liege und durch das Fenster zu den Tannen schaue, fällt mir sein Name endlich wieder ein. Der Name passt heute noch besser zu ihm als damals. Ein Viktor lacht nicht. Ein Viktor ist ernst. Ein russischer Kampfschwimmer heißt Viktor. Ich erinnere mich auch, wie Herr Weber uns im Gymnasium einander vorgestellt hat. Ich war in der 8. und er in der 12. Natürlich kannte ich ihn schon vorher und wusste auch seinen Namen, weil jeder ihn kannte und seinen Namen wusste. Schon damals war er groß und schön und vor allem sagenumwoben. Ich schließe die Augen und sehe ihn vor mir, wie er mit seinem Rucksack um eine Schulter mit großen Schritten und verschlossenem Blick durchs Gebäude schreitet und die Mädchen aller Stufen ihm verwegene Blicke zuwerfen, die er nicht erwidert. Man erzählte sich Geschichten über ihn, dass er krass gut programmieren könne, dass er im Darknet zu Hause sei, dass er hochbegabt und/oder autistisch sei und dass er Studentinnen in der Stadt date. Er gehörte zu keiner Gruppe so richtig dazu, aber alle hatten Respekt vor ihm und akzeptierten seine Anwesenheit. Ab und zu sah ich ihn auf meinem Nachhauseweg bei den Kiffern im Park, ein anderes Mal mit den pickligen Computernerds beim Kiosk und dann wieder mit den Jungs aus dem Sport-LK Basketball spielen. Ich wartete damals ungeduldig auf Herrn Weber, meinen Mathelehrer, den Frau Neugebauer für mich aus dem Lehrerzimmer holte. Herr Weber war cool, er gab mir seit der 6. Klasse immer Buchkopien, Aufgaben und Klausuren von höheren Stufen, und je schneller ich sie löste, desto schneller stieg ich auf. Inzwischen war ich aus mathematischer Perspektive quasi in der 11. Klasse. Als Herr Weber endlich mit einem neuen Stapel an Blättern auf mich zukam und sich dann Viktor direkt vor mich stellte, als ob ich nicht da wäre, wurde ich wütend.

Viktor: Herr Weber, ich muss kurz über die Klausur morgen sprechen ...

Ich tippte Viktor auf die Schulter, er drehte sich um und musterte mich.

»Ich habe Herrn Weber gerufen«, sagte ich, drängte mich an ihm vorbei und übergab dem grinsenden Lehrer meine gelösten Aufgaben und nahm ihm den neuen Stapel aus der Hand.

Herr Weber: Na, das ist ja schön. Dass sich meine beiden Überflieger mal kennenlernen. Viktor Wolkow, Tilda Schmitt.

Ich: Hallo.

Viktor: Hallo.

Er streckte mir tatsächlich seine große Hand hin, ich ergriff sie, und peinlich berührt spürte ich, wie mir die Röte ins Gesicht schoss.

»Tschüss«, sagte ich und ging.

Rosé-Wein, Rosé-Wein, Rosé-Wein, Werther's-Karamellbonbons, Malboro Gold XL, Spaghetti, Hackfleisch, Malboro Gold XL, Tomatenmark. Marlene, rate und hoffe ich, sage »26,30 Euro«, schaue hoch und mustere meine beste Freundin. Ihre hellblonden, glatten Haare, die letztes Mal noch sehr lang waren, reichen jetzt nur noch bis zur Schulter und haben einen leichten Rosastich. Sie trägt ein Oversize-Vintage-Jeanshemd mit Ledershorts. Ich kann meine sich hochziehenden Mundwinkel nicht bändigen.

Marlene: Also Mitarbeiterin des Monats wirst du nicht. Ist es nicht deine Pflicht, jeden Kunden zu begrüßen? Musstest du so was nicht unterschreiben? Steht das nicht in deinem Arbeitsvertrag? Na ja, egal. Wie lange musst du noch arbeiten? Heute Abend ist der Rave. Bist du ready?

Begrüßung à la Marlene.

Ich: Hi Marlene. Welcher Rave?

Ich war davon ausgegangen, dass wir heute Abend alle entspannt auf dem Grundstück abhängen, ein bisschen trinken, ein bisschen rauchen, so wie früher. Bei dem Gedanken an einen tanz- und zeitintensiven Rave spüre ich meinen müden Körper umso mehr und gähne.

Marlene: Alter, deswegen bin ich doch dieses Wochenende in Germany. Ich habe dir schon so oft davon erzählt. Leon, Kilian und so starten auf dem Grundstück einen Rave. Alle kommen.

Ich: Ich dachte, die sind in Berlin?

Marlene: Ja, du Depp. Ist halt Heimspiel für die. Die bringen ihre Berliner Freunde mit, von denen auch welche auflegen.

Ich: Cool.

Marlene: Boah, wie ich deine hemmungslose Begeisterung vermisst habe. Du kommst mit. Du hast überhaupt keine Wahl. Hab Leon schon gesagt, dass du mitkommst. Der freut sich.

Ich: Marlene, ich weiß nicht …

Am liebsten würde ich ihr einfach die Wahrheit sagen, aber irgendwie wollen die Worte nicht raus. Mama trinkt wieder mehr, ich will Ida abends nicht allein mit ihr lassen. 13 Worte.

Ich: Mama ...

Marlene: Ich verstehe ja, dass die Entscheidung fürs Mathestudium schon so ein gewisses Nein zum Leben war, aber ich werde nicht dabei zusehen, wie du dich komplett abkehrst von allem. Ich bin jetzt ein Wochenende hier in Deutschland, und das bedeutet: Spaß, Spaß, Spaß. Wir fahren jetzt gleich zu mir, dann ziehen wir uns um, trinken unseren Wein, machen uns 'ne Bolo, und dann gehts ab zum Rave. Du liebst doch Tanzen, Hasi. Du brauchst das. Das sehe ich dir an. Du siehst ganz leer aus. Blutleer. Ja, blutleer siehst du aus. Richtig ausgesaugt. Leon und seine ganzen heißen Hipster-Freunde aus Berlin sind da. Das wird ein großes Ding.

Ich habe Marlene während ihres Monologs die ganze Zeit aufmerksam beobachtet, und ich bin mir sicher, dass sie keinmal Luft geholt hat. Sie wäre eine gute Taucherin. Vergeudetes Talent.

Der Mann hinter Marlene räuspert sich.

Der Mann hinter Marlene: Geht das hier mal weiter?

Marlene dreht sich genervt um: Jetzt haben Sie mal ein bisschen Verständnis. Ich habe meine beste Freundin seit Weihnachten nicht gesehen. Das sind über 7 Monate. Da darf ich wohl mal kurz mit ihr quatschen, oder? Kasse 1 und 2 sind auch offen.

Damit hat er nicht gerechnet. Ohne etwas zu erwidern, dreht er sich kopfschüttelnd um, brabbelt vor sich hin und stellt sich tatsächlich an Kasse 2 an. Was habe ich diesen Terrorzwerg vermisst.

20 Minuten später sitzen wir in ihrem Fiat 500.

Marlene: Brudi freut sich auch, dass du kommst.

Ich: Du wiederholst dich. Wie gehts ihm?

Marlene: Ach. Bisschen abgehoben ist er schon. Hat den Master endlich durch und ist jetzt in so einem Künstlerkollektiv am Holzmarkt. Aber sonst ist er wie immer. Viel unterwegs. Viel am Rumträumen.

Ich nicke.

Marlene: Wenn ich mit ihm spreche, fragt er immer nach dir.

Ich zucke mit den Schultern und schweige.

Jedes Mal will sie über Leon und mich reden, weil wir ja so ein Traumpaar sind und uns endlich mal aufraffen sollen. Das ist unangenehm. Eigentlich sollte es ihr auch unangenehm sein. Er ist schließlich ihr Bruder. Und ich will ihr nicht sagen, dass ich uns nicht für ein Traumpaar halte und nicht in ihn verliebt bin, und sage deswegen: Ich habe den großen Bruder von Ivan im Schwimmbad gesehen.

Ich schaue sie an, ihr Gesicht ist blass, und sie hat Gänsehaut auf der Schläfe. Die hat sie immer bei extremen Gefühlsregungen. Wenn sie tieftraurig, übertrieben euphorisch, verliebt oder eben auf Drogen ist. Ihre Hände krallen sich um das Lenkrad, und ihr Blick ist starr geradeaus gerichtet. Wir schweigen, so wie wir die letzten Jahre geschwiegen haben. Manchmal frage ich mich, warum wir nie darüber gesprochen haben und wann wir den Entschluss getroffen haben, nicht darüber zu sprechen. Ich weiß noch, dass wir bei der Beerdigung kein Wort miteinander gewechselt haben. Wir standen in einer der letzten Reihen, haben geweint und uns festgehalten, sind danach zu Marlene gegangen, haben uns in ihr Bett gelegt, geweint und uns festgehalten, haben irgendwann aufgehört zu weinen, und lagen einfach nur da und haben uns festgehalten, sind eingeschlafen, aufgewacht und haben dann weitergelebt, wie man das eben so macht, wenn jemand stirbt. Vielleicht wissen wir einfach nicht, was wir sagen sollen, weil jedes Wort das falsche und keines das richtige ist. Aber vielleicht gibt es auch keine falschen und richtigen Worte, und wir sollten endlich darüber reden, denke ich und schweige. Wir fahren die Landstraße an den Feldern entlang. Und ich weiß, dass ich eigentlich anfangen müsste zu reden. Auf dem Feldweg sind irritierend viele Jogger, was irgendwie verkehrt aussieht. Auf diesem Feldweg sind Marlene und ich damals so oft im Morgengrauen betrunken nach Hause gelaufen, singend, lachend, redend, tanzend,

kotzend in Richtung Marlenes Elternhaus in der teuren Wohnsiedlung, am Bäcker vorbei. Manchmal hat es schon nach frischen Bröt-
chen gerochen. Das war schön.

Marlene: Kilian hat mir auch erzählt, dass er da ist. Wahrscheinlich
verkauft er das Haus. Das steht jetzt schon ewig leer.

Jetzt schweigen wir beide. Fast 5 Jahre ist es her.

Marlene: Schau mal auf die Rückbank, das habe ich für dich gedruckt. Für heute Abend.

Ich breite das Knäuel vor meinem Gesicht aus, ein großes weißes
Shirt mit einem pinken Hasen drauf.

Marlene: Für meinen Hasi, der viel zu braune Beine hat. Mit deinen
Boots sieht das bestimmt sehr nice aus.

Ich mag es. Der pinke Hase scheint mich direkt anzuschauen. Er
schaut irgendwie fragend, erwartungsvoll, aber ich weiß nicht, was
er von mir will. Ich schaue stirnrunzelnd zurück, aber er reagiert
nicht.

Marlene öffnet die dunkelgrüne Holztür, und ich atme beim Ein-
treten den altbekannten Duft nach Zedernholz, Kaffee und den undefinierbaren Eigengeruch, den jede Familie eben hat, ein. Ich frage
mich, wie unsere Wohnung für fremde Leute riecht, ob sie vielleicht
ein bisschen muffelt. Marlenes Familie wohnt in einem renovierten
Fachwerkhaus. Ich liebe ihr Zuhause. Der Wohnbereich ist licht-
durchflutet wegen der großen Fensterfront des Anbaus, die in den
grünen Garten weist. Manchmal, wenn man auf dem Sofa im Wohnzimmer direkt an der Front liegt, es draußen windet und die Sonne
zumindest ein bisschen scheint, dann hat man das Gefühl, im Wald
zu sein, mit den ganzen Lichtspielen an der Wand. Und vor allem ist
alles so stilvoll und gemütlich eingerichtet; Marlenes Mutter Lisa hat
Freude an Inneneinrichtung, und das merkt man. Jedes Mal ist etwas ein bisschen anders. Ich sehe einen dunkelvioletten Perser unter dem großen Kiefernesstisch.

Ich: Neuer Teppich?

Marlene: Nicht nur das. Sie hat alle Vorhänge im Haus ausgetauscht und schon wieder ein neues Sofa bestellt. Ich frage mich, was sie mit diesen ständigen Veränderungen eigentlich kompensiert. Wahrscheinlich auch eine Art Midlife-Crisis.

Ich: Ich denke, dass es ihr einfach Spaß macht und dass sie es richtig draufhat. Sie könnte das beruflich machen.

Unser Wohn- und Essbereich ist lieblos und spartanisch eingerichtet. Die meisten Möbel sind älter als ich und passen nicht zusammen. Die Stühle und der Tisch in der Küche sind abgenutzt, unter das rechte Tischbein ist ein Pappuntersetzer geklemmt, damit der Tisch nicht so stark wackelt. Das schwarze Ledersofa im Wohnzimmer ist zum Glück gut abwaschbar im Gegensatz zu dem senfgelben Teppich darunter, der mit seinen vielen Flecken, die ich auch mit diversen überteuerten Reinigungsmitteln nicht rausbekommen habe, vor allem Geschichten von Mamas Ausrutschern erzählt.

Marlene: Sag ihr das, dann freut sie sich. Wir machen uns nur über sie lustig.

Ich: Ihr seid fies. Wo sind Lisa und Markus? Tennis spielen?

Marlene: Ja, und danach essen, so wie jeden Freitag.

Ich öffne die Tür zu meinem Lieblingsraum und bin erleichtert, als ich sehe, dass die riesengroße dunkelgrüne Landhausküche noch nicht ausgetauscht wurde. Früher habe ich dieses Zimmer geliebt, weil es so lebendig war und sich hier meistens alle getroffen haben. In der Ecke steht auch noch der quadratische weiße Tisch, an dem wir nach der Schule immer zu Mittag gegessen haben und um den inzwischen schwarze mit weißem Fell bedeckte Schalenstühle gruppiert sind.

Eine Tür führt in einen Raum, der größer ist als unser Wohnzimmer, in dem neben mit Vorräten gefüllten Regalen ein 2. Getränkekühlschrank und eine Gefriertruhe stehen. Marlenes Vater Markus hat eine Metro-Karte, und deswegen gab es hier früher auch so verrückte Sachen wie Kratzeis oder riesengroße Haribo-Boxen voller Schnüre oder Wassermelonenkaugummis, die es sonst eigentlich nur in Kiosks zu kaufen gibt.

Ich stelle den Wein in den Kühlschrank, und Marlene bereitet die Bolognese vor.

Marlene: Also jetzt erzähl du mal, was gibts Neues? Ich rede die ganze Zeit.

Ich: Nicht viel und bei dir?

Marlene: Hab ich dir eigentlich schon erzählt, dass ich mich im Master auf Game-Design spezialisieren möchte? Bin da in einem Uni-projekt so reingerutscht, und jetzt mag ich's mega. Will dann auf jeden Fall ein Auslandssemester in den USA oder so machen.

Ich: Klingt cool.

Marlene: Und bei dir? Wie läufts?

Ich: Gut, muss jetzt demnächst meine Masterarbeit schreiben. Suche gerade noch ein Thema.

Marlene: Crazy, und dann bist du schon fertig. Und dann?

Ich zucke mit den Schultern. Ich hasse diese Frage. So sehr.

Ich: Dann suche ich mir einen Job.

Marlene: Wo?

Ich antworte: »Ich denke hier in der Umgebung«, und weiß, dass mit dieser Antwort wieder eine Diskussion starten wird.

Marlene hält mit der Zubereitung der Bolognese inne und setzt sich zu mir.

Marlene: Tilda, das geht nicht.

Ich: Marlene, muss das jetzt sein?

Marlene: Nach dem Studium ziehst du weg, hast du gesagt.

Ich: Ich habe gesagt, vielleicht ziehe ich nach dem Studium weg. Ich wusste nicht, dass es mit Mama dann so schlimm ist.

Marlene: So schlimm?

Ich: Es wird auf jeden Fall nicht besser.

Marlene: Aber irgendwann musst du die beiden verlassen und dein eigenes Ding machen. Ida packt das schon. Der Mensch wächst mit seinen Aufgaben.

So eine bescheuerte Aussage.

Ich: So eine bescheuerte Aussage, Marlene. Wir reden jetzt nicht darüber, in Ordnung? Das führt zu nichts.

Sie schnaubt, steht auf und widmet sich wieder dem Essen.

Ich frage nach Jim, ihrem neuen Freund oder was auch immer er genau für sie ist, weil das bestimmt die Stimmung umgehend heben wird und sie bereits während der halben Autofahrt nicht aus dem Schwärmen herausgekommen ist.

Marlene: Hab ich dir erzählt, dass er mir letztens, als ich mit einer Abgabe so gestresst war, ein Hanfbad vorbereitet hat? Mit Musik, Joint und Chips. Megacute, oder?

Ich stelle mir vor, dass mir jemand, wenn ich gestresst bin, ein Hanfbad vorbereiten würde, und frage mich, ob es sehr unverschämt wäre, den Bad-Gang dann zu verweigern.

Ich: Megacute.

Nachdem wir gegessen haben, gehen wir hoch und machen uns fertig. Ich ziehe das Shirt an, lege mich aufs Bett, und Marlene führt mir Outfits vor. Am Ende entscheiden wir uns für ein schwarzes Slip Dress, unter dem sie ein weißes Shirt trägt.

Während Marlene sich schminkt, schaue ich mir die Fotos und Videos auf ihrem Handy an, sie erzählt mir die Geschichten dazu. Ich sehe einen Sonnenaufgang am Hafen, einen Sonnenuntergang von einer Dachterrasse aus, ihre Kunstarbeiten, Ausstellungen, Flohmärkte, ihre Freunde beim Tanzen, ihre Freunde beim Essen, ihre Freunde beim Malen, ihre Freunde beim Küssen, ihre Freunde beim Schlafen, ihre Freunde beim Nacktbaden. Ich bleibe hängen bei einem Bild, auf dem Marlene und ihre Freunde in einem Lavendelfeld vor einem alten Bauernhaus mit hellblauen Fensterläden versammelt sind. Eine junge Frau sitzt in der Hocke und malt auf einem Zeichenblock, Marlene liegt daneben, ihr Kopf ist auf dem Bauch von einem Mann gebettet, der einen Joint in der Hand hält und in die Ferne schaut, zwei Frauen und ein Mann sitzen bei ihnen auf der Decke im Schneidersitz mit einer Flasche Wein in der Hand und lachen.

Ich: Wo war das?

Ich zeige ihr das Bild.

Marlene: In Céreste, in der Provence vor zwei Wochen, da haben wir uns eine Woche so ein Haus gemietet, gechillt, voll viel Kunst gemacht, viel zu viel Wein getrunken, M und so genommen.

»Krass«, sage ich, krass, denke ich und frage mich, ob ich auch so ein Leben führen könnte, wenn das mit Mama und Ida nicht wäre. Ich glaube nicht und weiß nicht, wieso.

»Geil«, sagt Marlene und bleibt stehen, als wir wie früher mit einer Weinflasche übers Feld zum Grundstück laufen und der orange, dunkelrot, rosa, hellblaue Himmel alles gibt, um uns zu beeindrucken. Marlene legt sich auf die Wiese am Feldwegrand, ich lasse mich neben sie fallen, sie nimmt meine Hand, drückt sie, ich erwidere den Druck, und wir schauen uns das Farbenspiel an.

Marlene: Pause.

Wir waren damals 16 oder so, als wir das Pause-Wort für uns entdeckten, nachdem wir diese Adam-Sandler-Komödie *Klick* geschaut hatten. Immer wenn ein Moment so schön war, dass wir die Zeit anhalten wollten, wurde das Zauberwort gesagt. Und wenn wir dann die Augen schlossen und uns ganz fest vorstellten, dass die Zeit stehen bleibt, hat es auch ein bisschen funktioniert.

Ich schließe die Augen und sage: »Pause.«

Ich denke an den leuchtenden Himmel, an uns beide, wie wir mit unseren Kleidern und Boots im Gras liegen, Hand in Hand, stelle mir fest vor, dass die Zeit stehen bleibt, und es funktioniert immer noch ein bisschen.

Ich: Ich hab dich vermisst.

Marlene: Ich hab dich vermisst.

Marlene: Wann waren wir das letzte Mal auf Killis Stück?

Ich: Vor 3 Jahren, an seinem Geburtstag.

Marlene: Verrückt. Früher waren wir gefühlt jeden Abend dort. Irgendwie weird, an den Ort zurückzukehren, wo wir so viel Scheiß gemacht haben.

Ich denke an die Pilze und Pillen, die wir dort das 1. Mal genommen haben, an die viel zu vielen Joints, die rumgegeben wurden, an die Jungs, mit denen wir rumgemacht haben, und an Kilians Kindergeburtstage, an denen es Fanta-Kuchen gab, und sage: »Lustig, dass es mit Killis Kindergeburtagsfeier losging, und fast 2 Jahrzehnte später kommt der Junge aus Berlin zurück, um da, wo er damals seinen 7. Geburtstag gefeiert hat, zu raven.« Ich denke an das alles, an unsere Freundschaft, und frage mich, wann genau Marlene und ich angefangen haben, uns voneinander zu entfernen, und ich bereue die Frage schon in dem Moment, in dem sie mir in den Kopf schießt, weil ich die Antwort natürlich weiß.

Marlene springt abrupt auf, ruft »Apropos Rave. Los gehts, du blutleeres Stück«, zieht mich hoch und gibt mir die Weinflasche: »Trink! Du wirkst wieder viel zu nüchtern mit deinem Mammutgedächtnis.«

Wir sehen die Lichter auf dem Grundstück von Weitem, und als wir dort sind, erkenne ich viele altbekannte Gesichter. Es sind tatsächlich viele hergekommen, die jetzt eigentlich in anderen Städten wohnen.

Marlene: Wow! Es sind Tausende Leute hier!

Ich überblicke das Grundstück.

Ich: Schätze circa 75 plus/minus 8.

Es hat sich nichts verändert. Wie damals sind in dem großen, am Feld gelegenen Schrebergarten random ein paar Sitzmöbel verteilt, Bierbänke, alte Sofas, Plastikstühle. Charmant. Am Rand des Zauns haben sie das Pult aufgebaut und mit bunten Lichterketten behängt. Da stehen Kilian, Leon und ihre Berliner. Sie fallen auf unter den anderen altbekannten Gesichtern, weil sie großstädtisch-berlinerisch und vielleicht ein bisschen arrogant aussehen. Eine trägt ein schwarzes Bustier mit einem schwarzen Minifaltenrock, auf dem Kopf kurzes, akkurat geschnittenes blondes Haar inklusive obligatorischem Micropony. Ist hier zwar nicht das Kitkat, sondern ein Grundstück in einer Kleinstadt, aber ist ja nett, dass wir hier auch mal ein bisschen Berliner Luft schnuppern dürfen. Leon sieht gut aus wie immer. Verwegen. Aber anders. Älter? Ich weiß nicht, ob ich sein selbstbewusstes Auftreten attraktiv oder abstoßend finde. Er ist in jedem Fall umwerfend. Und das weiß er.

Seine Freunde und er können ihren Wohnort allesamt nicht leugnen. Eigentlich fehlt ihnen nur noch ein dickes fettes B auf der Stirn. Ich nenne sie B1 bis B5.

Als Marlene zu B1, B3 und B5 und ein paar Locals hüpft, folge ich ihr, und wir setzen uns auf die Bierbänke und unterhalten uns, oder Marlene eröffnet vielmehr ein beachtliches Fragenbombardement, dem sich ihre Opfer bereitwillig und schlagfertig mit Antworten und Gegenfragen ergeben.

Schnell merke ich, dass die Bs Thara, Anna, Linus, Finn und Carlos sehr nett und überhaupt nicht arrogant sind, schäme mich für mein missgünstiges Urteil über Tharas coolen und mutigen Look und verwerfe die blöde B-Nennung. In Wahrheit bin ich doch einfach nur neidisch. Wir erfahren, dass Thara die Freundin von Kilian ist und dass Leons Freundin oder was auch immer wohl Anna ist.

Während der Unterhaltung linse ich zu Leon und Anna rüber, Letztere eine hübsche kühle Blonde, wie sie gemeinsam Bierkästen zur Bar tragen. Leon hat sich äußerlich verändert. Auf seinem Arm sind viele kleine Tätowierungen dazugekommen. Wie bei so einem Cloudrapper, wobei sein Gesicht zum Glück noch nicht tätowiert ist. Sein langes, welliges braunes Haar hat er kurz geschnitten, und er trägt einen Dreitagebart. Ich frage mich, was mit mir passieren würde, wenn ich nach Berlin ziehen würde. Wie lange könnte ich mich gegen einen Micropony wehren? Unsere Blicke treffen sich. Das 1. Mal. Er bleibt stehen, stellt den Kasten auf den Boden, steht da einfach nur und schaut mich an. Langsam legt er den Kopf schräg, ein Lächeln breitet sich auf seinen Lippen aus. Sein schelmisches Lächeln, mit dem er mich schon seit 2 Jahrzehnten regelmäßig aus der Bahn wirft und das ich ein bisschen vermisst habe. Er nimmt den Kasten wieder hoch, wendet den Blick ab und folgt seiner Anna.

Kilian setzt sich neben mich und legt den Arm um meine Schulter.

Kilian: Na, Rumpelstilzchen. Gut, dich mal wiederzusehen.

Ich: Hi Killi.

Als ich 17 Jahre alt war, einmal wütend in den Wald rannte und auf der Lichtung brüllte, weil mir mit Mama mal wieder alles zu viel wurde, habe ich den auf der Bank sitzenden kiffenden Killi zu spät gesehen. Ich weiß noch, wie er unbeeindruckt neben sich auf die Bank klopfte und ich mich neben ihn setzte. Er gab mir den Joint, und wir saßen da bestimmt 2 Stunden und haben 3 Joints geraucht. »Deine Mutter?«, fragte er, und ich nickte. Wir waren damals schon befreundet, und er hat es niemandem erzählt, gab mir lediglich diesen neuen Spitznamen.

Thara: Wieso Rumpelstilzchen?

Killi: Sie sieht einfach aus wie Rumpelstilzchen.

Leon folgt mir, als ich mir ein Bier holen will, legt einen Arm um mich, drückt mich an sich und küsst mich auf die Wange.

Leon: Na, Wildkätzchen, habe dich vermisst.

Ich: Du siehst aus wie ein Cloudrapper.

Ich linse zu seinen Tattoos.

Leon lacht. Ich bin froh, dass ich seine Grübchen, wenn er lacht, trotz des Dreitagebarts noch erkennen kann.

Leon: Danke?

Leon: Du siehst süß aus.

Ich: Danke.

Wir lächeln uns an, und ich muss dem Blick ausweichen, weil er zu intensiv ist.

Leon: Wie gehts dir?

Ich: Gut. Und dir?

Leon: Auch. Und wie gehts Ida?

Ich: Gut, sie malt jetzt mit Kohle.

Leon: Was malt sie?

Ich: Gerade sind es Fabelwesen mit Menschengesichtern.

Leon: Beschreib mal die Bilder.

Ich: Letztens hat sie eine Ratte gemalt. Mit Insektenbeinen und mit dem Gesicht einer bösen lachenden Frau. Ich glaube das Gesicht unserer Mutter.

Ich habe mich nicht getraut, bei Ida nachzufragen, ob es Mamas Gesicht ist. Sie hasst es, wenn ich ihr Fragen zu ihren Bildern stelle, und eigentlich weiß ich die Antwort ja auch. Das sind die dunklen, glatten Haare, die Stupsnase und der kleine Mund von Mama.

Vor der Bar bleibe ich stehen, tue so, als würde ich die Getränkeauswahl begutachten, hole die Rattenfrau lebendig vor meine Augen, und ihre Züge verändern sich, die Augenbrauen entfernen sich ein wenig voneinander, und das Lachen wird zu einem Lächeln, zu einem traurigen Lächeln. Da sind nur noch Reste von dem Zerstörerischen und Bösen, und in den Augen des Monsters blitzt ein bisschen Reue und ein zärtliches mütterliches Flackern auf.

Leon mustert mich.

Leon: Ist es wieder schlimmer?

Ich zucke mit den Schultern.

Leon: Ich komme die Tage mal vorbei, okay?

Ich nicke.

Wir setzen uns ein wenig abseits halb nebeneinander, halb gegenüber auf den Boden und stoßen an. Und dann schaut er mich an, das spüre ich, während ich auf den Boden schaue, bis ich hochschaue und wir uns ganz direkt anschauen. Ohne was zu sagen. Das mit dem Direktanschauen konnte er schon immer gut. Ich werde rot.

Ich: Leon. Hör auf.

Leon: Womit?

Ich: Leon.

Er lacht.

Ich: Hör auf, mich so anzuschauen.

Leon: Hör du doch auf.

Ich: Du weißt, dass ich nicht verlieren kann.

Er lacht. Ich lache mit, weil sein Lachen ansteckend ist, und wir erschrecken beide ein wenig, als Anna sich, während wir lachen, zu Leon oder halb auf ihn drauf setzt und ihren Kopf in seine Halskuhle schmiegt. Und weil das so absurd und unangenehm ist, kann ich nicht aufhören zu lachen. Ich räuspere mich, aber kleine Lachwellen überkommen mich immer wieder.

Anna: Alles gut?

Ich: Ja, sorry. Bin albern, wenn ich getrunken habe.

Anna: Was ist denn so lustig?

Leon: Tilda hat gepupst.

Ich pruste los.

Anna lacht gezwungen: Süß.

Die Situation, das Schweigen, mein Lachen, das alles ist so unangenehm, ich will aufstehen, merke aber, dass meine Beine eingeschlafen sind und dieser Fluchtversuch alles nur noch unangenehmer machen würde. Als ich die mit 2 kleinen Shot-Plastikbechern auf uns zugaloppierende Marlene erspähe, atme ich erleichtert auf.

Marlene: Haaassiiiii, da bist du ja!

Zu Leon gewandt: Brudi, ein Mädchen reicht, okay? Tilda ist mein Mädchen. Anna ist dein Mädchen. Oder willst du tauschen?

Marlene zieht mich hoch, und ich humpele ihr mit höllisch bitzelnden Beinen hinterher und flüstere: »Danke.«

Marlene: Kein Ding. Dein Gesicht hat Hilfe gebrüllt.

Auf dem Weg Richtung Musik brüllt sie viel zu laut und theatralisch »Hilfe«, und die Leute drehen sich zu uns um, aber das ist ihr natürlich egal. Marlene ist ziemlich betrunken, und ich muss aufpassen, dass sie ihren Hanfbad-Jimi nicht vergisst. Sie ist unberechenbar, wenn sie betrunken ist, und der blonde Finn gefällt ihr, das habe ich gesehen.

Hand in Hand fangen wir am Rand der Tanzfläche langsam an, uns zur Musik zu bewegen, und ich hab das wirklich vermisst. Wie damals tanzen wir uns dann nach vorne, bis wir direkt vor den Boxen sind. Ich brauche immer ein bisschen, bis ich ganz loslassen kann. Am Anfang macht es einfach nur Spaß, und dann verblasst es um mich, und die Zeit verschwindet. Da ist nur noch ein Jetzt, kein Gestern, kein Morgen, nur ein Jetzt. Jetzt. Jetzt. Ich warte, dass es kommt. Ich schließe die Augen, lasse die Beats zuerst in meine Fingerspitzen eindringen, in meine Hände, dann in meine Arme, in Bauch, Brust, Kopf und runter in die Beine, bis zu den Füßen, in die Zehenspitzen und lasse los. Ich spüre, wie sich die Gedanken und Sorgen auflösen. Der Beat wird schneller, mein Körper wird schneller. Nur ich und die Musik. Minuten vergehen oder Stunden oder Tage. Wer weiß das schon. Alles ist gut. Alles ist gut. Und alles ist egal. Und eigentlich ist alles ganz einfach. Und eigentlich ist eigentlich ein Scheißwort. Und ich weiß, dass ich diese Illusion der Freiheit genießen muss, und ich weiß, dass dieser Gedanke eigentlich schon zu viel ist. Ich will alle Gedanken ausschalten. Nur ich und die Musik, und ich versuche, die Musik noch stärker in meinen Körper reinzuholen und die Gedanken rauszupressen, ziehe die Luft tief rein in diesen Mund, in diese Lungen, weiß, dass der desillusionierende Moment kommen wird. Da ist mein Körper, und da ist die Musik, und mein Körper bewegt sich zu der Musik, und das fühlt sich gut an. Aber da ist auch eine kleine Ida, und da ist eine trinkende Mutter in meinem Kopf. Ich öffne die Augen, mustere die Tanzenden um mich herum, ihre verschwitzten Gesichter, ihre geschlossenen Augen, ihre zuckenden Gliedmaßen und denke an Ida. Ich schließe wieder die Augen, aber es ist zu spät. Der desillusionierende Moment schießt krass rein. Das ist alles so bescheuert und absurd. Ich gehe. Ich muss Marlene Bescheid sagen, auch wenn sie meinen Abgang stark behindern wird, ich suche sie auf der Tanzfläche, sehe sie mit Finn rumknutschen und gehe. *hatte kopfweh, sorry*, tippe ich in mein Handy.

Landstraße. Sternenklarer Himmel. Es riecht zu gut. Nach Hochsommer. Nach erhitztem Asphalt, Dünger, Heu. Irgendwas ist da noch. Ich schließe die Augen und atme die eigenartige Luft tief in die Nase ein. Verdammt, ich komme nicht drauf. Wahrscheinlich irgendwas Magisches. Etwas, das nicht von dieser Welt ist. Wunderschön, die Nacht. Es weht eine sanfte Brise. Bald dämmert es. Dämmern ist ein lustiges Wort. Als Nomen ist es okay: Dämmerung, aber als Verb wirkt es ein bisschen komisch. Ich lasse mich vom Wind mitreißen und drehe mich im Kreis. Und in diesem Moment gehört das alles mir. Nur mir. Die Nacht und ich, wir beide. Ich und die Nacht, die bald wegdämmert. Ich bleibe abrupt stehen. Ein Auto bremst neben mir ab. Fuck. Ich greife in meine Bauchtasche. 110 tippe ich in mein Handy, wage einen Blick nach rechts. Mercedes G-Klasse. Schwarz. Kein klassisches Triebtäterauto. In welche Richtung rennen? Die Fensterscheibe geht runter, und ich schaue in Ivans, in Viktors Gesicht.

Viktor: Spinnst du?

Seine Stimme. Sie ist rau und ein bisschen heiser. Ich mag sie.

Ich schaue ihn genervt an: Was?

Viktor: Landstraße, nachts?

»Subjekt, Prädikat, Objekt«, sage ich, »Steig ein«, sagt er, »Nein«, sage ich, »Hey Siri, ruf die Polizei an«, sagt er, »Nein«, sage ich und steige ein.

Wir schweigen.

Viktor: Adresse?

Ich lasse mir mit der Antwort Zeit.

Ich: Fröhlichstraße 37.

Er lacht kurz auf. Ein heiseres Lachen, fast ein Husten, als hätte er lange nicht mehr gelacht.

Ich: Was?

Er schüttelt den Kopf, und seine Züge verhärten sich wieder.

Schweigen wir jetzt die ganze Fahrt? Ich will irgendwas sagen, aber ich habe Angst, dass ich lalle, und ich weiß auch nicht, was ich sagen soll. Also lehne ich mich zurück und betrachte sein Profil von der Seite. Seine verstrubbelten weißblonden Haare, die markanten, harten Züge seines gebräunten Gesichts, seine gerade Nase, die scharf geschnittenen Augenbrauen, der schmale Mund. Schön, denke ich. Er dreht sich zu mir, und ich sehe beeindruckt, wie sich das Gesicht verändert, noch schöner wird, ein Flackern in seinen Augen, ein belustigtes Grinsen, er zieht die Augenbrauen fragend hoch, bevor er den Blick wieder auf die Straße richtet und seine Gesichtszüge sich wieder zu dem griechischen, strengen Profil versteinern, alles eine Sache von Millisekunden, wobei ein leichtes Lächeln noch kurz bleibt. Mir schießt die Hitze ins Gesicht. Ich habe ihn krass angestarrt wie ein peinlicher Teenager. Aber was soll ich denn auch machen? Wenn er sich nicht unterhalten will, dann darf ich ihn ja angucken. Außerdem muss ich abchecken, ob er unter Alkohol- oder Drogeneinfluss steht, wenn er nachts durch die Gegend fährt. Wieso fährt er überhaupt mitten in der Nacht durch die Gegend? Er trägt eine graue Jogginghose, war also vermutlich nicht in einer Bar oder so. Vielleicht ein Tinder-Date? Ich bin neugierig.

Ich: Wieso fährst du eigentlich mitten in der Nacht durch die Gegend?

Viktor schaut kurz zu mir und antwortet nicht. Wahrscheinlich ein Tinder-Date.

Viktor: Autofahren beruhigt mich.

Ich nicke und frage nicht, was ihn beunruhigt hat, weil ich es ahne. Wir schweigen die restliche Fahrt über, ich höre auf, ihn anzustarren, und schaue aus dem Fenster hoch in den dämmernden Himmel. Dass er nachts aus dem leeren Haus, in dem er nicht schlafen kann, flüchten und mit dem Auto allein durch die Gegend fahren muss, tut mir leid.

»Wo?«, fragt er, als wir in die Fröhlichstraße einfahren, und ich sage: »Das traurige graue Wohnhaus am Ende der Straße.«

Er lächelt leicht und verlangsamt die Geschwindigkeit vor dem traurigen Haus. Ich scanne die Fenster und erschrecke: Wieso brennt in Idas Zimmer Licht? Panik schnürt mir den Hals zu. Ich öffne die Tür, während er noch fährt.

Ich: Halt an.

Viktor: Alles gut?

Ich antworte nicht, springe aus dem Auto, schließe die Haustür auf, schließe die Wohnungstür auf und klopfe 2-mal schnell, kurze Pause, 3-mal langsam. Idas Tür ist abgeschlossen.

Ich: Ida, ich bins, Tilda. Ida!

Ich nehme sie fest in meine Arme, als sie die Tür in ihrem Tweety-Nachthemd aufschließt.

Ich: Was ist passiert?

Sie antwortet nicht. Ihr Gesicht ist blass und verängstigt, aber keine sichtbaren Wunden.

Ich: Komm, wir setzen uns aufs Bett.

Ich: Hat sie dich geschlagen?

Ich höre das heisere Nein fast nicht, so leise ist es. Sie schmiegt sich an mich, und wir starren beide auf ihre Bilderwand gegenüber vom Bett. Man sieht alle Phasen, die sie durchlaufen hat. Ganz links das rosafarbene Schwein. Mit Buntstiftbildern von Tieren fing sie an. Das Lustige an Idas Tieren ist, dass sie immer eine kleine Flosse am Rücken haben, egal ob Schwein oder Vogel. Ich durfte früher weder fragen, was es mit der Flosse auf sich hat, noch lachen. Wenn ich das Lachen nicht unterdrücken konnte, war Ida beleidigt und redete mindestens 3 Stunden lang nicht mit mir. Nach den Tieren kamen Märchen. Mit Jaxon-Kreide malte sie alle Märchen, die ich ihr regelmäßig vorlesen musste, die sie mochte. Da ist Schneewittchen, die im Sarg liegt, um sie herum die 7 Zwerge und der Prinz, ein Apfelstück, das ihr aus dem Mund fällt. Daneben Rapunzel, die ihr langes Haar aus dem Fenster wirft, der Prinz, der daran hochklettert. Und Dornröschen, die die Augen öffnet, als der Prinz sie küsst. Erst jetzt fällt mir auf, dass sie immer den Moment der Erlösung festgehalten hat. Schön und traurig, denke ich. Nach den altbekannten Märchen verbildlichte sie unsere eigenen Märchen, und dann kamen die Fantasiewesen. Mit Wasserfarbe malte sie Elfen, Kobolde, Zwerge und Riesen. Die Phase hielt lange an und hat sogar mehrere Techniken durchlaufen. Noch heute malt sie manchmal grüne Wälder, inzwischen meistens mit Acryl, in denen man, wenn man genau hinsieht, eine kleine Elfe oder einen Kobold zwischen den Baumkronen erspähen kann. Und zurzeit sind es die Kohlefabelwesen mit Menschengesichtern. Ich schaue die Ratte mit den Insektenbeinen und Mamas Gesicht an und weiß nicht, ob ich die Wesen mag oder ob sie mir Angst machen. Wahrscheinlich beides.

Irgendwann fängt Ida leise an zu reden.

Ida: Sie ist zu mir ins Zimmer gekommen und wollte mit mir Lasagne kochen.

Schweigen.

Ida: Ich wollte nicht. Sie war betrunken. Ich habe gesagt, dass ich keinen Hunger habe. Und dass ich malen will.

Schweigen.

Ida: Dann ist sie ausgetickt und hat rumgeschrien. Sie hat mein Bild genommen, zerknüllt und in den Mund gesteckt.

Schweigen. Ich schlucke.

Ida: Sie ist rausgestürmt. Ich habe die Tür zugeschlossen. Sie hat auf sie eingeschlagen und gebrüllt. Ich soll aufmachen. Sie hat nicht aufgehört.

Schweigen.

Ida: Irgendwann ist sie gegangen.

Schweigen.

Ida: Und jetzt bist du gekommen.

Ach du Scheiße. Ich schließe sie fest in meine Arme. Eine Träne tropft auf meinen Arm, und ich weiß nicht, ob es meine oder ihre ist. Ida weint eigentlich nicht.

Ich: Ich komm sofort wieder.

Ich gehe in die Küche, fülle einen Eimer mit kaltem Wasser, schmeiße Eiswürfel hinein, stelle ihn auf den Balkon, zerre Mama, die nichts ist als ein stinkender Sack, vom Sofa nach draußen und schreie sie an: »Setz dich!« Das letzte Mal, als ich den Eimer benutzen musste, ist über ein Jahr her. Sie brabbelt vor sich hin, lässt sich mit ausgestreckten Gliedmaßen auf den Stuhl fallen, schließt die Augen, und erst als ich ihr den Eimer über den Kopf schütte, öffnet sie dieselben panisch.

Mama: Tilda?!

Tilda: Ich sag dir jetzt mal was. Wenn du Ida noch mal so einen Schrecken einjagst, dann rufe ich die Polizei. Hast du verstanden? Sie schaut mich an.

Tilda: Hast du verstanden?

Sie nickt.

Ich gehe und setze mich wieder zu Ida, die mich mit großen Augen anschaut. Der Balkon ist direkt neben ihrem Fenster. Sie lehnt ihren Kopf wieder an meine Schulter. Lange sitzen wir so auf ihrem Bett, und als ich eigentlich schon davon ausgehe, dass sie eingeschlafen ist, fragt sie: »Warum steht der Schwimmer immer noch vor unserem Haus?«

Erst jetzt bemerke ich, dass draußen ein Licht leuchtet, springe auf, gehe zum Fenster und sehe Viktor, der an seinem Wagen lehnt, raucht und mich direkt anschaut. Scheiße. Ich zeige den Daumen hoch. Er nickt, schmeißt die Kippe auf den Boden, zertritt sie, steigt ein und fährt los.

Wie immer zeigt das Monster am folgenden Tag Reue, und auch am darauffolgenden hat Mama sich zwar nicht entschuldigt, dafür aber die Wohnung aufgeräumt, geputzt und auch die obligatorischen Spiegeleier gebraten, während Ida und ich schweigend gemalt und gerechnet haben.

Sie brät meistens Spiegeleier, wenn sie Scheiße gebaut hat. Ida und ich hassen inzwischen Spiegeleier. Früher hat sie oft Toast Hawaii gemacht, aber dann haben in der Regel Zutaten gefehlt, und Knäckebrot mit überbackenem Scheibletten-Käse oder Toast mit einer Ananasscheibe belegt schmeckt einfach scheiße. Deswegen gibt es jetzt fast regelmäßig, im Schnitt alle 12 Tage, Spiegeleier. Es ist sozusagen unser Familienritual. Wenn Mama abends über die Stränge geschlagen und noch mehr getrunken hat als sonst, uns angeschrien hat oder wir mal wieder ihre Haare halten mussten, während sie über der Kloschüssel hing, dann schmeißt sie am nächsten Tag Eier in die Pfanne. Nach den Spiegeleiern reißt sie sich meistens 2, manchmal sogar 3 und in den seltensten Fällen 4 Tage lang zusammen, leistet uns in der Küche Gesellschaft, isst mit uns, trinkt weniger oder weniger offensichtlich und liegt nicht so viel auf dem Sofa herum.

Nach der Reuephase findet sie aber schnell in ihr Muster zurück. Eigentlich umgehend. Es ist, als würde ein Schalter umgelegt, eine Entscheidung, die sie trifft: »Ab jetzt bin ich wieder kacke.« 3, 2, 1, go!

Schweigend haben wir gestern die 3 verbrannten Spiegeleier in uns reingeschaufelt, und ich verstehe es wirklich nicht: Entweder sind sie zu glitschig oder verbrannt.

Ich: Du müsstest doch eigentlich die perfekten Spiegeleier braten können, so oft, wie du die zubereitest.

Mama hat zu laut und exaltiert gelacht, und ich habe kurz überlegt, mich zu weigern, das verbrannte Ei zu essen, aber ich hatte keine Energie für einen Aufstand und keine Lust drauf, es wäre schade um die Eier gewesen, und vor allem wollte ich Ida nicht noch mehr stressen. Außerdem sind Eier gesund.

Am Montagmorgen laufen Ida und ich schweigend nebeneinander zur Schule. Ida ist seit dem Zwischenfall besonders schweigsam. Samstag war sie den ganzen Tag in ihrem Zimmer, malte und machte Hausaufgaben. Normalerweise verbringen wir den Großteil der Wochenenden zusammen in der Küche. Zum Essen kam sie dann in die Küche, wobei sie nur einsilbige Antworten gab und sogar auf meine Frage, ob sie Lust auf Vanillepudding habe, lediglich mit den Schultern zuckte. Sie wollte am Samstag noch nicht einmal ins Schwimmbad, obwohl es regnete. Ich bin dann auch nicht hin. Eigentlich hatte ich vorgehabt, am Wochenende was mit Marlene zu unternehmen, aber ich blieb dann doch lieber zu Hause. *sorry, mama ist ausgetickt. bin dieses wochenende raus*, schrieb ich Marlene, die irritierenderweise verständnisvoll reagierte.

Marlene: Oh no, Hasi!!!

Marlene: Alles klar!

Ich: alles klar??

Marlene: Voll

Marlene: Fahre heut oder morgen eh mit Kilian und Co nach Berlin

Marlene: Paar Tage

Ich: mit kilian und co und finn?

Marlene antwortete mit dem Affen-Emoji, das sich die Augen zuhält. Ich versteh nicht, was alle mit diesen Affen-Emojis haben. Was bedeutet überhaupt ein Affe, der sich die Augen zuhält?

Ich: viel spaß

Marlene: Danke, Hasi

Marlene: Und deiner Mum gute Besserung

Marlene: Oder was man da auch immer sagt?

Marlene: Ich ruf dich mal an demnächst, alright?

Marlene und ich telefonieren nie, aber trotzdem sagt sie immer, dass sie mich demnächst mal anruft.

Ich schickte ihr das Affen-Emoji, das sich die Augen zuhält, Marlene schickte mir 10 Herz-Emojis, und damit war die Konversation auch schon beendet.

Als Ida am Sonntagmorgen endlich wieder mit ihrem Snoopy-Rucksack und den Malsachen in die Küche tapste und sich schweigend zu mir an den Tisch setzte, wo ich an einem Übungszettel saß, lächelten wir uns zaghaft an. Sie war immer noch sehr schweigsam, aber abends fragte sie zumindest, was eigentlich mit dem versprochenen Vanillepudding sei.

Auf dem Schulweg beginne ich dann unser Spiel, balanciere auf der Bordsteinkante, pro Stein 2 Schritte, und sage: »Es war einmal eine Prinzessin, die eines Morgens aufwachte, verwandelt in einen Hasen ...«

Ida antwortet nicht, aber aus den Augenwinkeln sehe ich, wie sie mir auf die Bordsteinkante folgt. Sie spielt mit. Nach einer halben Minute überholt sie mich endlich und spricht während des Überholmanövers: »Die Prinzessin wusste nicht, was sie tun sollte. Sie hoppelte aus dem Zimmer in den Schlossgarten.«

Ich überhole sie: Dann begann eine verzweifelte Suche rund um das Schloss. Alle Schlossbewohner suchten die Prinzessin, und diese wusste nicht, wie sie jemandem begreiflich machen konnte, dass sie, der Hase, die Prinzessin war. Sie konnte zwar sprechen, aber sie hatte Angst, dass ihr niemand glauben würde und man sie einsperren oder töten würde, wie man das eben mit Hasen und anderen Tieren macht.

Sie überholt mich: Eines Tages wurde sie von dem Küchenjungen gefangen. Er wollte den Hasen eigentlich in die Küche bringen und braten. Der Junge war aber klug. Er erkannte die tannengrünen Prinzessinnenaugen des Hasen.

Sehr poetisch, die kleine Ida. Und sie wird immer besser im Erzählen.

Ich überhole sie: Er nahm den Hasen mit zu sich in sein Zimmer, um ihm zu helfen. Er war sich sicher, dass die Verwandlung etwas mit ihrer letzten Nacht als Prinzessin zu tun haben musste. Was war passiert in dieser Nacht?

Sie überholt mich: Sie erinnert sich. In der letzten Nacht hatte sie einen Albtraum. Sie war auf einem Floß auf rauer See. Ein Seeungeheuer kletterte auf ihr Floß. Das Ungeheuer zwang die Prinzessin, eine Pille zu schlucken. Die Prinzessin traute sich nicht, Nein zu sagen.

Ich überhole sie: Und sie schluckte sie. Der Junge wusste, dass es nur einen Weg gab, die Verwandlung rückgängig zu machen.

Sie überholt mich: Der Hase musste auf das Floß.

Ich überhole sie: Und so gingen sie zum Meer, und der Junge bastelte ein Floß aus Schilf und setzte den Hasen darauf.

Sie überholt mich: Und das Ungeheuer kam. Diesmal wollte es, dass der Hase ins Wasser springt. Aber der wollte nicht. Der Hase schrie: »Nein.« Und in dem Moment verwandelte der Hase sich wieder, und die Prinzessin war wieder in ihrem Prinzessinnen-Körper.

Ich überhole sie: Der Küchenjunge schlug dem Ungeheuer mit dem Küchenmesser den Kopf ab, Küchenjunge und Prinzessin gingen zurück zum Schloss, alle freuten sich, Küchenjunge und Prinzessin heirateten, bekamen viele Kinder, und wenn sie nicht gestorben sind ...

Sie überholt mich: ... dann leben sie noch heute.

Wir haben es geschafft. Wir stehen nebeneinander vor ihrer Schule, und Ida schaut zu mir auf. Irgendwann nickt sie mir zu. Ich weiß, was dieses Zunicken bedeutet, und nicke zurück.

»Bis nachher«, sagt sie und geht zum Eingang, kurz vor der Tür dreht sie sich noch 1-mal um und winkt. Die kleine Ida. Ich renne zur Straßenbahn.

Mineralwasser mit Kohlensäure, Mineralwasser mit Kohlensäure, Kinder Schokolade, Cola Kracher, Cini Minis, Lion Cereals, Smiley-Fries, Vollmilch, Vollmilch, Fischstäbchen, Tüte von der Fleischtheke, Toastbrot, Nutella, Nektarinen, Paradies-Creme Vanille, Paradies-Creme Karamell, Paradies-Creme Stracciatella. Mitte 30, weiblich, definitiv Mutter, bisschen assi, rate ich, sage »32,49 Euro«, schaue endlich hoch, und als ich in Viktors Gesicht blicke, kann ich mir ein Grinsen nicht verkneifen.

Ich: Organisierst du einen Kindergeburtstag?

Er lächelt kurz. Er sollte wirklich öfter lächeln.

Karte, sagt er und steckt sie ein, packt die Einkäufe in seinen weinroten Reisenthel-Korb, nickt zum Abschied und geht. Er hat tatsächlich einen Reisenthel-Korb. Ich komme nicht darauf klar, wie er sich da mit dem Korb beim Bäcker anstellt. Und ich komme noch weniger drauf klar, wenn ich bedenke, was sich da in seinem Korb sammelt. Ich dachte, er isst nur Reis mit Fleisch oder bestellt etwas Proteinhaltiges, um die Nahrungsaufnahme hinter sich zu bringen und genug Energie und Muskeln für seine Schwimmeinheiten zu haben. Aber damit, dass er die Einkaufsliste eines 8-Jährigen abzuarbeiten scheint, habe ich wirklich nicht gerechnet. Und dieser Reisenthel-Korb. Der hat bestimmt seiner Mutter gehört. Ich war in der 4. Klasse, als Mama mir eines Tages feierlich das 1. Mal ihren blauen Reisenthel-Korb übergab mit dem Vorschlag, dass ich von nun an den ein oder anderen Gang zum Supermarkt erledigen könne. Am Anfang hat sie mir noch eine Einkaufsliste geschrieben, und es war aufregend, so etwas Erwachsenes zu machen. Stolz habe ich den Wagen durch die Regale geschoben und ewig gebraucht, die Sachen alle zu finden. Irgendwann habe ich keine Liste mehr bekommen, und eine Zeit lang sah meine eigene dann so ähnlich aus wie Viktors, nur dass die Gut&Günstig-Varianten der Markenprodukte, Billigfleisch und weder Obst noch Gemüse in den Korb kam. Aber irgendwann oder vielmehr seit Ida da war, habe ich angefangen, darauf zu achten, dass wir uns halbwegs gesund ernähren. Damit wir groß und stark werden.

Wie immer riecht es in den Unigebäuden in den letzten 2 Wochen vor den Semesterferien nach Stressschweiß, Kaffee und Tränen, und ich verbiete mir, mich von dieser Massenhysterie mitreißen zu lassen. Keine Kapazitäten. Wenn sich die Studenten in dieser Zeit wie von einem verrückten Virus infiziert, mit Augenringen unter den Augen, in Jogginghosen und mit riesengroßen Taschen voller Tupperdosen und Energydrinks in die Uni schleppen, als würden sie in den Krieg ziehen, und ihre Zelte an allen verfügbaren Tischen auf dem Gelände aufschlagen, finde ich das ein bisschen lustig, aber in erster Linie ärgere ich mich, dass mein Platz in der Unibib direkt am Fenster besetzt ist und auch alle anderen. Ich sitze vor dem Seminarraum, in dem das Kolloquium stattfindet, blättere in *An Introduction to Stochastic PDEs* von Hairer, als Anna in einer grauen Jogginghose, einem weißen Oversize-Shirt und mit einer großen Plastikbrille auf mich zuschlurft. Sie trägt sonst Kontaktlinsen. Sie sieht fertig aus.
Ich: Coole Brille.
Sie seufzt, lässt sich neben mich auf den Stuhl fallen, zieht eine Dose Red Bull aus dem Rucksack und fragt: »Willst du auch eins?«
Anna hat nicht nur echte Red-Bull-Dosen dabei, sondern sogar meistens auch die coolen Sondereditionen.
Ich: Ja, danke. Hast du Heidelbeere?
Wie eine Dealerin kramt sie in dem Rucksack, überreicht mir die gewünschte Dose, und wir stoßen an.
Anna nickt in Richtung der anderen Kommilitonen, die im Kreis viel zu laut ihre Ideen diskutieren.
Anna: Alter, die haben alle schon voll den Plan wegen ihrer Masterarbeit. Du auch?
Ich: In etwa.
Anna: Über was willst du schreiben?

Ich: Irgendwas mit SPDEs.

Anna: Fuck. Aber cool. Ich hab gar nichts. Und ich hab noch 2 Klausuren diese Woche und 1 mündliche Prüfung. Ich glaub, ich schaff das nicht. Kennst du jemanden, der Ritalin vertickt?

Ich: Wird schon. Das Masterkolloquium findet ja dann vor allem nach den Klausuren in den Ferien statt.

Anna: Ja, nervt voll. Wollte eigentlich in meinen letzten Semesterferien vor der Masterarbeit eine kleine Weltreise machen, und jetzt habe ich da dieses doofe Blockseminar.

Ich frage mich, aus wie vielen Stationen eine kleine Weltreise besteht. Die ganzen Flüge, das kostet ja ein Vermögen. Manchmal schaue ich mir auf Opodo zum Spaß die Preise für Langstreckenflüge nach Costa Rica, Japan oder Nepal an, zu Orten, die ich cool finde. Einfach so. Dann ändere ich das Abflugdatum, den Tag, den Monat, das Jahr und schaue, wie sich der Preis verändert, und manchmal, wenn dann wirklich ein krasser Tiefpreis auftaucht, bin ich kurz davor zuzuschlagen. Aber ich weiß ja nicht, was am 5. Mai im nächsten Jahr ist.

Anna: Wollen wir uns mal zusammenhocken und ein bisschen brainstormen wegen Masterarbeit?

Ich schaue sie belustigt an, weil wir beide wissen, was »zusammenhocken und ein bisschen brainstormen« bedeutet, aber Anna sieht wirklich verzweifelt aus, und sie hat mir ein Red Bull Heidelbeere gegeben. Ich nehme einen Schluck von dem leckeren Gesöff und sage: »Okay, aber überleg dir vorher ein paar Themengebiete, die dir besonders liegen und die du spannend findest.«

Anna nickt bedröppelt und sagt: »Danke, Tilda. Du bist meine Lieblingsstreberin.«

Professor Klein öffnet die Tür, und als ich grüßend an ihm vorbeigehe, sagt er: »Frau Schmitt, kommen Sie bitte heute nach dem Kolloquium in meine Sprechstunde.«

Was will er? Nervös sitze ich in dem Raum und höre den anderen nicht zu, die die ersten Ideen für ihre Thesen diskutieren. Habe ich zu oft gefehlt in letzter Zeit? Ich zähle Professor Kleins Sitzungen, in denen ich nicht da war, und merke erschrocken, dass ich es dieses Semester ein wenig übertrieben habe. Vielleicht war es falsch zu denken, dass ich meine sporadische Anwesenheit mit guten Noten kompensieren kann. Ich dachte, es gibt ein stilles Abkommen zwischen Professor Klein und mir: Ich fehle ab und zu bis häufig, dafür löse ich alle Übungszettel und Klausuren ohne Fehler. Was sage ich ihm? Die Wahrheit auf keinen Fall: »Meine Mutter ist Alkoholikerin, ich lasse meine kleine Schwester ungern allein mit ihr, und die Straßenbahnfahrt zur Uni dauert länger als 1 Stunde.« Ich könnte ihm erzählen, dass ich das Arbeitspensum in meinem Nebenjob erhöht habe, weil meine Mutter zurzeit nicht arbeitet, oder ich lüge, dass ich verliebt bin und in einer romantischen Fernbeziehung stecke. Letzteres wäre für den strengen und nüchternen Professor Klein so unangenehm, dass er die Ausrede vermutlich umgehend akzeptieren und mich rausschicken würde, sobald ich mit der Schilderung von Details starten würde. »Wir haben uns auf einer Dating-App kennengelernt. Er heißt Robert und ist Schauspieler.« Nach dem Kolloquium gehe ich sofort zu seinem Büro und warte, bis er kommt und mich einlässt. Ich werde das mit dem Arbeitspensum sagen, weil das ja auch stimmt und ich meinen Lieblingsprofessor nicht anlügen möchte, auch wenn die Vorstellung mit Robert ziemlich gut ist.

Als wir einander gegenübersitzen, beginnt er sofort.

Professor Klein: Frau Schmitt. Ich wollte mit Ihnen über Ihre Zukunft reden.

Hilfe.

Ich: Ich rede eigentlich grundsätzlich nicht über meine Zukunft.

Professor Klein: Grundsätzlich habe ich gegen diesen Grundsatz nichts einzuwenden. Aber in diesem Fall hoffe ich, dass Sie eine Ausnahme machen.

Ich nicke.

Professor Klein: Ich habe letztens im Seminar die ausgeschriebene Promotionsstelle an der Humboldt-Universität mit dem Schwerpunkt Wahrscheinlichkeitstheorie erwähnt.

Ich werde nervös.

Professor Klein: Ich lege Ihnen stark ans Herz, sich zu bewerben, und empfehle Sie natürlich gerne.

Ich: Ich habe doch noch nicht mal meine Masterarbeit geschrieben.

Professor Klein: Die schreiben Sie ja jetzt. Ist doch optimal so, dann haben Sie einen nahtlosen Übergang vom Masterabschluss zum Promotionsbeginn.

Es fühlt sich unwirklich an, als ich Professor Kleins Büro verlasse, und ich weiß nicht, wo ich hingehen soll. Ich lasse mich treiben, über den Campus, auf dem viel zu viele Leute sind, in die Altstadt, in der viel zu viel Leute sind, in das Wohngebiet am Stadtrand und immer weiter, während in meinem Kopf Chaos herrscht. Ich bin glücklich, aber auch verwirrt. Und traurig. Und müde. Und mein Auge zuckt, und ich schwitze, und ich fühle mich nicht in der Lage, irgendeine Entscheidung zu treffen. Berlin. Berlin wäre krass. Eine Promotionsstelle an der Humboldt-Universität in Berlin. Eine Promotionsstelle. Das langfristige Ziel war schon, irgendwann mal umzuziehen, aber nicht gleich nach Berlin und vor allem erst, wenn Ida groß und weit genug ist. Ich laufe an den Weinreben vorbei, und keine Träne läuft mir das Gesicht hinunter, sondern Schweiß. Ganz kurz gestatte ich mir, an eine Zukunft in Berlin zu denken. Ich würde morgens mit der S-Bahn zur Uni fahren, in das Büro, das ich mir mit 2 anderen Promovierenden teilen würde. Dort würde ich rechnen und lesen und arbeiten, solange ich will, dazwischen Mensa- und Kaffeepausen. Ich hätte in dem Schrank bei der Kaffeemaschine meine eigene Tasse. Abends würde ich zu meiner Wohnung fahren und mich auf den Balkon setzen, vielleicht ein Bier oder ein

Glas Wein trinken und Ida anrufen, während die Sonne untergeht. Sie würde mir von ihrem Tag erzählen, von den Jungs oder Mädchen, in die sie sich verliebt hat, von ihren Bildern, von Mama, der es mal besser und mal schlechter ging. Dann denke ich an Ida, wie sie Freitagnacht im Tweety-Nachthemd mit ihrem blassen, verängstigten Gesicht vor mir stand.

Irgendwann bin ich oben am Waldrand bei der Burgruine, klitschnass geschwitzt setze ich mich auf die Burgmauer, schaue hinunter auf die Stadt und versuche, das alles mal rational zu betrachten. Ich wische mir die Schweißtropfen von der Wange.

Januar. 5 Monate. Ich hätte 5 Monate Zeit, um Ida vorzubereiten. Sie müsste eine Kämpferin werden, und ich müsste sie rüsten. So wie Mr. Miyagi Daniel oder Frankie Maggie. Denn ich kann nur gehen, wenn Ida gewappnet ist. Sie muss eine Kämpferin werden, und ich muss sie rüsten. Ich darf keine Zeit verlieren, schließe kurz die Augen, entspanne die brennenden Muskeln in meinen Beinen, springe von der Mauer und renne runter in die Altstadt, in die Videothek, die mit den sich ausweitenden Erotik- und Gaming-Ecken und den Shishas, die sie nun auch verkauft, eine Sammelstätte bizarrer Gestalten geworden ist. Mein Plan: Ich werde Ida in einem 1. Schritt popkulturell zu einem Million-Dollar-Baby heranziehen und leihe *Tribute von Panem*, *Snow White and the Huntsman* und *Kill Bill* aus. Sentimentale Indie-Filme wie *500 Days of Summer* oder *Oh Boy* über Figuren, die krank sind oder nicht genau wissen, was sie wollen, bringen uns, bringen Ida nicht weiter.

Zusätzliche Maßnahmen muss ich mir noch überlegen, aber nicht jetzt. Für heute bin ich fertig.

Als ich im Bus sitze, leere ich meinen Kopf, versuche, meine Augen offen zu halten, denke an Katniss und Snow White und überlege, mit welchem Film wir am besten starten sollen. Als ich endlich im nach Chlor, Sonnencreme und Rasen riechenden Schwimmbad bin, reiße ich das verschwitzte Kleid vom Leib, als ob es brennen würde, schmeiße meine Sachen auf Ursulas Bank, und das Wasser, in das ich mich ungeduscht fallen lasse, schmiegt sich um meinen erschöpften Körper und wäscht das Chaos, das ich ausgeschwitzt habe, von meiner Haut. Wie in Trance schwimme ich 23 Bahnen, setze mich dann neben Ursula auf die Bank und schaue Viktor zu.

Ursula: Hat er dir was getan?

Ich: Wer?

Ursula: Der Russe.

»Wer?«, frage ich noch 1-mal, weil sie ihn nicht so nennen muss.

Ursula: Ach, Tilda, der blonde Schönling. Du weißt genau, wen ich meine.

Ich: Nein. Wieso?

Ursula: Du verfolgst seine Bahnen jeden Abend wie den Ballwechsel zwischen Nadal und Federer.

Ich schüttle den Kopf.

Ich: Tu ich gar nicht, aber schöner Vergleich.

Ursula: Doch, jeden Abend, nachdem du geschwommen bist, schaust du ihm zu, bis er seine Bahnen geschwommen ist, und dann gehst du.

Ich schweige. Das muss aufhören. Ich bin nahezu besessen von ihm, und ich weiß gar nicht, wieso. Oder ich weiß es doch. Er ist wie ein Rätsel, das ich lösen will, wie eine Matheaufgabe, die ich nicht verstehe, und ich hasse es, wenn ich Matheaufgaben nicht sofort verstehe. Seit ich ihn auf dem Block gesehen habe, ist er irgendwie in meinem Kopf, obwohl der sowieso viel zu voll ist, und ich weiß nicht, was er da will, und ich möchte ihn da raushaben, aber irgendwie auch nicht. Ihm bei seinen 22 Bahnen zuzuschauen beruhigt mich, er schwimmt schön, und sein Gesicht erinnert mich an das von Ivan, auch wenn es ganz anders ist. Ich mag sein Gesicht, seine verstrubbelten weißblonden Haare, die gebräunten, harten Züge, seine gerade Nase, die scharf geschnittenen Augenbrauen, den schmalen Mund, und ich mag sein Grinsen. Ich mag seine eisblauen Augen.

Ich mag seine raue Stimme, die er so wenig benutzt. Ich mag das wenige, was er mit ihr sagt. »Autofahren beruhigt mich.« Ich mag, dass er vor unserer Wohnung gewartet hat. Und ich mag, wie er mit seinem Reisenthel-Korb einkaufen geht. Gestern Abend wollte ich am Laptop ein paar Aufsätze und Bücher raussuchen für meine Masterarbeit. Am Ende habe ich 2 Stunden versucht, mit den mir zur Verfügung stehenden Informationen etwas über Viktor rauszufinden, »Viktor Wolkow«, »Viktor Wolkow Hacker«, »Viktor Wolkow IT«, »Viktor Wolkow London«, »Viktor Wolkow MIT«, »Viktor Wolkow Massachusetts« usw. gegoogelt. Nichts. Es gibt keinen einzigen Eintrag zu ihm, kein einziges Bild. Nur zu dem Unfall gibt es ein paar Artikel. Aber die werde ich nie lesen.

Ich: Was weißt du über ihn?

Ursula kennt jeden hier im Ort, und alle kennen Ursula.

Ursula: Nur das, was alle wissen. Passiert ja sonst nicht so viel hier.

Ich: Was denn?

Ursula: Er war ein Überflieger. Computernerd. Da war doch mal dieser Hackerangriff. Hat als einer der wenigen im Russenklotz Abitur gemacht. Dann ist er nach Amerika und kam mit ganz viel Geld zurück, hat seiner Familie Haus und Auto gekauft. Und dann war der Autounfall, und er ist verschwunden. Tragische Geschichte. Ich weiß gar nicht, wie lange das her ist.

Ich: Am 9. August sind es 5 Jahre.

Wir schweigen. Ursula seufzt.

Ich: Aber weißt du, wo er zuletzt war?

Ursula: Nein. Wieso soll ich das denn wissen? Er ist doch eher in deinem Alter. Frag ihn doch.

Ursula: Du warst doch früher sogar mit seinem kleinen Bruder befreundet. Ich habe euch doch oft zusammen gesehen. Auf dem Feld bei den Pferden habt ihr immer gepicknickt. Deine Marlene, du und der Drogendealer.

Ich: Ivan.

Gepicknickt. So kann man das auch nennen. Einen Sommer lang haben wir zu dritt gepicknickt. Vom 1. Juni bis zum 9. August. Es war ein und derselbe Sommer, an dessen Anfang Ivan unser Freund wurde und auf dessen Höhepunkt er starb.

Am 1. Juniabend, einem lauen Sommerabend, hingen Marlene und ich mit ein paar Freunden auf Kilians Grundstück ab. Es lief elektronische Musik, ein Joint nach dem anderen ging rum, und wir tranken Bier. Wir waren träge, müde, high und gelangweilt. Vor allem Marlene war gelangweilt. Sie war gelangweilt von der Musik, von unseren Freunden, von den Abenden, die immer gleich abliefen, von ihrer Familie, von unserer Kleinstadt. Seit sie mit ihrem Backpack aus Thailand zurückgekommen war, langweilte sie alles. Und sie wollte raus aus dieser »Scheißstadt«. Die neue Marlene war anstrengend. Sie war wie ein 2. Nebenjob.

Während Marlene ein Gap-Year gemacht hatte, um sich selbst zu finden, jobbte ich inzwischen Vollzeit im Supermarkt, um mein im Herbst beginnendes Mathematikstudium zu finanzieren. Die Tage wiederholten sich, tagein, tagaus derselbe Ablauf, und ich versuchte, mich damit abzufinden, dass so in etwa meine Zukunft in diesem Drecksort aussehen würde. Morgens brachte ich Ida in den Kindergarten, von da aus ging ich in den Supermarkt, um zu arbeiten, und am späten Nachmittag holte ich Ida wieder ab. Zu Hause verbrachte ich ein bisschen Zeit mit ihr, manchmal übernahm das auch Mama, der es rückblickend in der Zeit ganz gut ging. Damals störte es mich extrem, dass sie noch schlief, wenn Ida und ich morgens loszogen, und dass sie Ida abends oft einfach nur ein Toastbrot mit Nutella schmierte. Inzwischen ärgere ich mich, dass ich diese Phase nicht in vollen Zügen genossen habe. Hätte ich da gewusst, was noch auf Ida und mich zukommt. Wenn Ida im Bett war, lungerten Mama und ich meistens im Wohnzimmer rum, der Fernseher lief, ich las, sie manchmal auch.

Als Marlene dann wieder in der Heimat war, holte sie mich fast jeden 2. Abend ab, um mit mir ihrer Langeweile zu entfliehen. Ich musste mit ihr Drogen nehmen, auf Raves in Wäldern oder unter Brücken tanzen, mit irgendwelchen komischen Leuten abhängen, die sie irgendwo aufgegabelt hatte und die dann doch nicht so interessant waren, wie sie beim Aufgabeln gedacht hatte. Ich war einfach nur noch müde. Auch an diesem 1. Juniabend, als wir auf Kilians Grundstück abhingen und Marlene auf einmal Bock auf Ecstasy hatte.

Marlene: Ich hab Bock auf Ecstasy.

Ich stöhnte innerlich. Wir hatten vorgestern erst Pep genommen.

Kilian: Ja, dito, hast du?

Marlene: Nope.

Kumpel von Kilian, dessen Name ich vergessen habe: Lass den Russen anrufen.

Wir wussten alle, dass der Russe Ivan hieß, weil er in denselben Kindergarten und in dieselben Schulen wie wir gegangen war, aber niemand räumte ein, dass der Russe einen Namen hatte.

Und so riefen wir den Russen an, und der Russe kam. Und als er dann dastand, der große Ivan mit seinem fast weißen Haar, den kalten Augen und uns abschätzig und überheblich angrinste, nachdem er für 5 Pillen 100 Euro verlangt hatte, wusste ich, dass Marlene Ivan nicht langweilig fand.

Dummer Kumpel von Kilian: 20 pro Pille? Seriously?

Ivan: 12 Euro pro Pille, 8 Euro Lieferkosten pro Pille.

Marlene lachte auf, ich linste zu ihr, sie hatte Gänsehaut auf der Schläfe.

Kilian und der dumme Kumpel kapitulierten und drückten Ivan 2 Fünfziger in die Hand, die Ivan in seine schwarze Eastpack-Bauchtasche steckte und gegen einen kleinen Plastikbeutel austauschte. Sein überhebliches, belustigtes Grinsen vertiefte sich, er nickte, drehte sich um, und kurz bevor er das Gartentor erreichte, rief Marlene: »Hey Ivan! Bock auf Schwimmbad?«

Er blieb stehen, wandte den Kopf, und Marlene und Ivan grinsten sich an.

Er antwortete nicht, drehte sich einfach wieder um und ging durchs Gartentor. Marlene sprang auf, zog mich hoch und rannte ihm nach. Ich lief ihr hinterher. Und ab dem Zeitpunkt hingen wir zu dritt fast jeden Abend am See oder auf dem Feld ab. Es wurde ein sehr heißer, stickiger Sommer. Ivan und Marlene waren verliebt ineinander, und ich war eben dabei.

Ursula: Zurzeit wohnt er wahrscheinlich in Hamburg, oder? Zumindest hat sein Auto ein Hamburger Kennzeichen.

Wieso habe ich Depp nie auf das Kennzeichen geschaut? Auf Ursula ist Verlass.

Ein gedeckter Abendbrottisch. Das habe ich lange nicht mehr gesehen. Geschnittenes Brot im Brotkorb. Eine Butterdose. Käse. Wurst. Zu Rosen geschnittene Radieschen. Sie war einkaufen. Ich wage es nicht, diesem Frieden zu trauen, und Ida ist auch verhalten. Wann hat sie das letzte Mal den Tisch gedeckt? Sonst gibts immer Spiegeleier am Tag danach. Aber einen Abendbrottisch und dann noch 3 Tage später? Statistisch gesehen hätte die Reuephase schon längst beendet sein müssen. Und tatsächlich kann ich mich an keinen einzigen Abendbrottisch in dieser Wohnung erinnern. Ich kann mich nur an Abendbrottische bei Marlene erinnern. Nachdem mein Vater uns verlassen hatte und bevor Ida geboren war und Marlene ihre Eltern doof fand, ging ich nach der Schule eigentlich täglich mit zu Marlene nach Hause. Marlenes Mutter Lisa wusste stets, wann wir kamen, weil unser Stundenplan am Kühlschrank hing, und hatte uns was zum Mittagessen gekocht. Fast jeden Tag gab es etwas anderes, und manchmal hat sie uns sogar Döner geholt. Das war das Highlight. Am Esstisch in der Küche machten wir nach dem Essen Hausaufgaben, nach getaner Arbeit durften wir toben, als Teenager »chillen«, bis Marlenes Vater Markus von der Arbeit kam, denn dann

gab es Abendbrot für die ganze Familie. Und mich. Der Abendbrottisch, der nicht in der Küche, sondern auf dem großen Kiefernholztisch im Esszimmer gedeckt wurde, war krass. Unterschiedliche Brotsorten, oft sogar Brezeln, immer irgendein Salat, meistens ein grüner Blattsalat, aber ab und zu auch fancy Salate mit Nudeln, Feta oder Roter Bete, eine Wurst- und eine Käseplatte, stets verziert mit Tomaten oder Essiggürkchen, ein Glas Senf, eine silberne Butterdose und manchmal sogar noch ein Teller mit geschnittenem Obst. Jeder hatte einen Teller und eine kleine Salatschüssel vor sich, eine Serviette daneben. Die 1. Male war ich derart überfordert, dass ich Marlene einfach alles nachmachte. Sie nahm eine Brezel, ich nahm eine Brezel, sie beschmierte die Brezel mit Frischkäse, ich beschmierte die Brezel mit Frischkäse. Bis sie eines Abends eine Schwarzbrotscheibe nahm, diese viel zu großzügig mit grober Leberwurst bestrich, dann Bananenscheiben und Trauben darauflegte, die sie mit der Gabel zerdrückte, und diesen widerlich aussehenden Belag wiederum mit einem Löffel süßem Senf krönte und am Schluss noch mit Salz bestreute. Ich machte selbstverständlich alles nach. Und in dem Moment, in dem ich das mutig geschmierte Brot, dessen Belag mich an Körperausscheidungen denken ließ, in den Mund schieben wollte, prusteten Markus, Leon, Lisa und Marlene los.
Marlene: Ich habe euch doch gesagt, dass sie mir alles nachmacht! Das war sehr peinlich für mich, und ab diesem Zeitpunkt fing ich an, mich auf den gedeckten Abendbrottisch einzulassen, und wurde mit der Zeit immer mutiger beim Belegen. Als ich dann bei Kombinationen wie Brezel mit Butter, Blutwurst, süßem Senf und dünn geschnittenen Essiggurken angekommen war, fand Marlene ihre Eltern auf einmal peinlich und nervig und wollte nicht mehr bei sich zu Hause abhängen, sondern in irgendwelchen Parks mit irgendwelchen Typen kiffen. Da war ich dann immer seltener dabei, weil Ida in der Zeit geboren war, ich mehr Zeit bei meiner Schwester verbringen wollte und musste. Es war anstrengend, aber auch schön und

aufregend, dass da plötzlich ein neues, kleines, unschuldiges Wesen bei mir zu Hause lebte und da nicht nur noch Mama und ich waren. Ich durfte ihren Namen aussuchen, weil Mama keine Ideen hatte, und so war Ida auch ein bisschen mein Kind. Mit Ida hatte ich auf einmal wieder einen Anker, eine Familie, die ich eigentlich schon längst verloren geglaubt hatte. Natürlich vermisste ich die Zeit mit Marlene, aber irgendwie auch nicht. Ich vermisste die alte Zeit, die Prä-Joint-Zeit, weil ich eigentlich viel lieber Kratzeis mit Marlene vorm Fernseher essen als Joints mit irgendwelchen Typen in irgendwelchen Parks rauchen wollte. Und vor allem vermisste ich die Abendbrottische bei ihr, an denen ich wahrscheinlich nicht mehr sitzen würde, weil Marlene sie nicht vermisste. Aber ich konnte sowieso nicht mehr immerzu vor meinem eigentlichen Zuhause flüchten. Ich musste mich nun um Ida, um meine Familie kümmern, damit sie nicht wieder zerbrach. Als Marlene irgendwann Hausarrest bekam, weil ihre Eltern in ihrem Zimmer Gras gefunden hatten, bestand sie auf meine Gesellschaft, und ich freute mich, doch noch einmal mit am Abendbrottisch zu sitzen. Aber Marlene rastete bereits aus, bevor ich das Camembert-Kürbiskernbrot mit weiteren Zutaten belegen konnte. »Ich hasse euch«, »Ihr seid so unfair«, »Alle kiffen«, schrie sie hysterisch. Ich fand Marlene peinlich und nervig, war aber natürlich auf ihrer Seite. Das war dann leider der letzte Abendbrottisch für mich, weil Marlene sich danach vehement weigerte, mit ihrer Familie Abendbrot zu essen. Aber das war in Ordnung, weil ich sowieso nicht konnte, als Ida größer und Mama schlimmer wurde.

Ähnlich vorsichtig wie ich damals bei Marlene setzen Ida und ich uns an den Tisch und sind überfordert mit den Sachen, die vor uns liegen, auch wenn die Auswahl selbstverständlich um einiges bescheidener und liebloser angerichtet ist. Wurst und Käse sind jeweils noch in der Gut&Günstig-Plastikverpackung, Salat gibt es keinen. Aber dafür ein Schälchen mit Radieschenröschen. Weder Ida noch ich greifen zum Brot. Mama legt uns beiden eine Scheibe auf den Teller und lacht. Sie lacht wirklich.

Mama: Ach, meine beiden Sturköpfe. Das am Freitag war scheiße.

Ich schaue Ida an, Ida die Brotscheibe vor sich.

Mama: Ich werde mich jetzt ändern. Es tut mir leid.

Ich: Du sagst das jetzt zum 17. Mal, dass du dich ändern wirst.

Mama: Aber diesmal meine ich's ernst.

Ich: Das sagst du zum 13. Mal.

Mama: Du machst mich verrückt mit deinen Zahlen.

Ich: Du machst mich verrückt mit deinem Sein.

Mama: Tilda. Es tut mir leid, okay? Ich schaffe das.

Ich schlucke eine Erwiderung runter, die wieder eine Zahl beinhaltet, aber nicht wegen Mama, sondern wegen Ida.

Als Mama den Tisch abdeckt, fülle ich Chips in eine Schüssel.

Mama: Oh, machen wir einen Filmabend?

Eigentlich wollte ich noch ein paar Stichpunkte zu den Protagonistinnen rausschreiben und Ida vorher mit ein paar Schauanweisungen und Leitfragen vorbereiten und den Film dann mit ihr in meinem Zimmer schauen, aber dann machen wir eben einen Filmabend zu dritt im Wohnzimmer. Kommt ja nicht so oft vor.

Tribute von Panem.

Wir sitzen auf dem Sofa, Ida, ich und Mama in der Mitte, und schauen Primrose, Katniss und deren Mutter zu, wie sie sich verabschieden, bevor Katniss zu den Hungerspielen muss. Katniss sagt zur Mutter: »Du kannst dich nicht wieder verkriechen. Du kannst nicht. Nicht so wie nach Dads Tod. Ich bin nicht mehr da. Du bist alles, was sie hat. Egal, wie's dir geht, diesmal musst du für sie da sein, verstanden?«

Und diese Situation ist so absurd, wie wir 3 auf dem Sofa sitzen, uns die 3 auf dem Bildschirm anschauen und alle dasselbe denken.

Während der Abspann läuft, sitzen wir schweigend auf dem Sofa. Während des ganzen Films hat niemand ein Wort gesagt.

Ida: Tilda, du bist wie Katniss.

Ich: Schwachsinn.

Mama: Doch, das dachte ich auch die ganze Zeit. Du bist auch so eine Kämpferin. Und sie sieht dir sogar ähnlich. Dieser böse Blick. Das braune Haar. Niemand würde sich wundern, wenn du mit Pfeil und Bogen rumlaufen würdest. Das passt einfach zu dir.

Ida: Und du würdest dich auch freiwillig melden. Für mich.

Ich: Das ist ein Film, Ida, und du bist auch eine Kämpferin.

Dass Ida den Kopf schüttelt, macht mich traurig.

Mama: Wenn sie sich freiwillig melden würde, wäre ich für dich da, Ida.

Diese Aussage ist so bescheuert. Mama ist so bescheuert.

Ich: Ich werde mich aber nicht freiwillig melden, weil das gerade ein fucking Film war! Und Scheißkonjunktiv-Gelaber bringt uns nirgendwohin, Mama.

Wir schweigen.

Mama: Ich werde mehr für euch da sein.

Ich: Futur-Gelaber auch nicht.

Mama: Ich bin mehr für euch da, versprochen, du Frechdachs.

Ida: Noch mehr?

Ich pruste los. Ida ist das lustigste Wesen, das ich kenne.

Mama: Ich bin so eine schlechte Mutter.

Ich lege den Arm um sie, und Ida legt ihren Kopf auf Mamas Schoß. »Ja, das bist du, Mama«, sage ich und streiche ihr in kreisenden Bewegungen über den Rücken.

Danach schauen wir noch *Oh Boy*, unseren Lieblingsfilm. Ich frage mich, ob ich mich in Berlin auch so fremd fühlen würde wie Niko, aber ich fühle mich sowieso überall fremd.

Abends liege ich auf meiner Matratze und denke daran, wie Marlene, ich und Ivan vor 5 Jahren auf der Picknickdecke auf dem Feld lagen, Marlenes Kopf auf Ivans Bauch, mein Kopf auf Marlenes Bauch, und wie die beiden Verliebten oder vielmehr Marlene wie so oft ihre Zukunft in der großen, weiten Welt ausmalte.

Marlene: Ich werde den ganzen Tag nackt oder im Morgenmantel verbringen, morgens erst mal einen frischen Joint rauchen, dann an meiner Mappe arbeiten, vielleicht ein bisschen Holländisch lernen und abends in irgendwelchen Bars und Clubs coole Leute kennenlernen.

Marlene wollte Grafikdesign studieren, hatte aber bei keiner Uni eine Zusage bekommen und würde ab Oktober einen Mappenkurs in Amsterdam machen. Ihr Vater ist Zahnarzt.

Marlene: Sorry, Ivan. Das mit dem Morgenmantel und so hatte ich mir schon ausgemalt, bevor wir entschieden hatten, dass du mitkommst.

Ivan hatte nach dem Abi eine Ausbildung zum Kfz-Mechatroniker gemacht, arbeitete seitdem in einer Werkstatt und wollte im kommenden Jahr ein Fahrzeugtechnik-Studium in Aachen beginnen. Ich habe ihn nie gefragt, warum er Fahrzeugtechnik studieren wollte, aber es war irgendwie klar. Autos waren sein Ding, ständig reparierte er unter der Hand irgendeinen Golf oder BMW von einem Freund, und er fuhr gerne. Wenn wir mit Marlenes Fiat unterwegs waren, saß immer er am Steuer, und Marlene und ich mochten das, weil er gut fuhr und Marlene echt scheiße. Als wir Ivan kennengelernt hatten, lebten er und seine Familie ungefähr seit einem Jahr in dem Reihenhaus. Das war eine Riesengeschichte gewesen, als sie dort einzogen. Alle sprachen darüber, dass das IT-Genie seiner Familie ein Haus gekauft hatte, wobei ich Viktor selbst, seit er die Schule verlassen hatte, kein Mal mehr gesehen hatte; er lebte zu der Zeit wohl in London, meinte Ivan. Ivan hasste es, über diese Sache und seinen Bruder zu reden. Es war ihm irgendwie unangenehm, und wenn ich nachhakte, weil ich extrem neugierig war, wie sein Bruder zu so viel Geld gekommen war und was er überhaupt nach der Schule gemacht hatte, zuckte er nur mit den Schultern. Ivan wollte vor allem raus aus der Kleinstadt und auch aus dem Haus. Mit seinem Job in der Werkstatt und seinem Ticker-Nebenjob hatte er Geld für das Studium und eine Wohnung gespart. Gerade hatte er seinen Werkstattjob gekündigt und wollte Marlene im September nach Amsterdam begleiten und am Hafen arbeiten, bis er dann im Frühjahr nach Aachen ziehen würde.

Ivan: Und du willst wirklich hierbleiben, Tilda?

Langsam wurde ich es müde, auf diese Fragen zu antworten, also tat ich es einfach nicht mehr.

Ivan: Freust du dich aufs Studium?

Ich: Ja.

Ich freute mich, nicht mehr von morgens bis abends an dieser ätzenden Supermarktkasse zu sitzen und endlich mal wieder ein bisschen gefordert zu werden. Und ich freute mich auf das Fach. Ich wusste seit der 8. Klasse, als wir bei der Berufsberatung waren, dass ich Mathematik studieren wollte. Die Worte der korpulenten Mittfünfzigerin mit den roten Locken: »Wenn dich ein Schulfach richtig stark interessiert, du Freude daran und auch noch sehr gute Noten hast, dann herzlichen Glückwunsch. Studiere Mathematik, einen Beruf findest du danach allemal.«

Marlene: Eins sag ich dir. Ich hol dich hier irgendwann raus. Du kannst doch nicht hier versauern, bis Ida 18 ist. Tilda, du hast es doch auch allein geschafft.

Als ob sie mich hier rausholen könnte. Manchmal hasste ich Marlene. Ihre Ignoranz. Ich hatte keine reiche, intakte Abendbrottisch-Familie. Ich hatte keinen Zahnarzt-Vater, ich hatte gar keinen Vater. Ich hatte nur eine Mutter, die sich verhielt wie ein verantwortungsloser Teenager, und eine kleine 5-jährige Schwester, die nur eine Mutter hatte, die sich verhielt wie ein verantwortungsloser Teenager, und eben mich.

Ich zwang mich dazu, jede bösartige Erwiderung herunterzuschlucken. Nacheinander schluckte ich sie herunter. »Zahlt dein Papa einen 2. Mappenkurs inklusive Wohnung?« Schluck. »Bekomme ich auch einen Fiat 500? In Rot, bitte?« Schluck. »Darf ich davor noch nach Thailand?« Schluck. Und sagte: »Du wirst mich hier nicht raus-holen. Wenn, dann gehe ich allein.«

Stille.

Marlene: Blöde Kuh.

Ivans Hand legte sich auf meine, und ich fragte mich, ob das Zufall war. Die Hand war trotz der stehenden Hitze erstaunlich kühl. Sein Daumen strich sanft über meinen Handrücken. Kein Zufall.

Nach diesem eigenartigen Montag verläuft die Woche relativ gut. Der Kopierer funktioniert in 3 von 4 Fällen. Es regnet an 3 von 5 Tagen. Der Abendbrottisch ist Dienstag, Mittwoch, Donnerstag, Freitag und auch Samstag gedeckt – 100 %. Mama trinkt nicht, zumindest wirkt sie klar und stabil. Ida malt keine Monster. Viktor nickt mir am Mittwoch und Donnerstag zu. Ich nicke am Donnerstag zurück, und am Freitag führen wir dann unsere 1. normale Unterhaltung, wie sie eben normale Menschen in unserem Alter führen. Aber was heißt schon normal.

An dem besagten Freitag war kein Schwimmbadwetter. Es war Schwimmringwetter. Ich lag im Schwimmring und schaute mir die fliegenden Wolken an, die sich vom stahlblauen Himmel absetzten. Es war perfektes Schwimmringwetter, denn es war windig, und die Wolken flogen nur so dahin. Das Gesicht eines Pandabären, dem allmählich ein Körper wuchs, und ein Adler, der seine Flügel immer weiter ausbreitete. Wie die beiden Wolkentiere am Anfang noch mit der Sonne spielten, sie dann anfingen zu mobben, sie zu verdrängen, immer dahin gingen, wo sie hinwollte, obwohl die Sonne eigentlich freie Bahn hatte und die Tiere den gelben Feuerball am Ende einfach nur noch restlos vernichteten. Meine Kurzzeitprognose, wann und wie lange die Sonne sich zeigt, war auch an diesem Freitag falsch. Der Wind, die Wolken und die Sonne sind einfach unberechenbar. Am Ende des Wolkenspiels lag mein Körper bewegungslos vor Kälte in dem pinken Schwimmring, und der Himmel war grau. Ich hatte verloren. Und in dem Moment, in dem die Sonne ganz weg war, tauchte Viktor auf. Sein Kopf war auf einmal neben mir mit seinen leuchtenden Augen. Er hielt sich wie ich an der Schwimmleine fest und grinste mich an.

Viktor: Na, genießt du mal wieder die Sonne?

Seine raue Stimme.

Ich: Das war zumindest der Plan.

Stille.

Viktor: Immer wenn die Sonne eigentlich nicht da ist, liegst du in diesem Schwimmring?

Ich schaue ihn an. Kein Grinsen mehr. Ein fragender Blick, zusammengezogene Augenbrauen. Ich schließe die Augen, und weil es ihn wirklich zu interessieren scheint, versuche ich es 1-mal: »Wegen dieser Momente, wenn die Sonne sich zeigt.«

Stille.

Viktor: Genießt man die Sonne mehr, wenn man die kalten Wolken gewohnt ist?

Ich denke über seine Frage nach.

Ich: Weiß nicht. Frieren ist scheiße. Immer. Aber manchmal ist die Sonne, die nur ganz kurz unverdeckt strahlt, so stark, dass man spürt, wie sie die kalten Wassertropfen auf der Haut zum Verdampfen bringt und die Kälte der grauen Wolken rausgedrängt wird aus diesem kalten Körper.

Er nickt, und ich fahre fort: Ich schalte komplett aus. Weißt du. Da ist nur mein Körper, der in dem Schwimmring liegt, und da sind die Wolken, die jedes Mal anders drauf sind, und die Sonne, die einem immer wieder von Neuem zeigt, wie stark und warm sie ist, und der Wind, der an dem einen Tag auf der Seite der Sonne steht und sich am nächsten Tag mit den Wolken verbündet. Wind, Wolken, Sonne, Kälte und Wärme. Eigentlich ist es ganz einfach.

Er nickt wieder, als wäre das, was ich gesagt habe, komplett sinnvoll und logisch.

Viktor: Wie heißt du überhaupt?

Ich weiß, dass er mich kennt, und er weiß, dass ich ihn kenne. Aber vielleicht hat er meinen Namen vergessen.

Ich: Tilda, und du?

Er streckt mir seine Hand hin: »Viktor.«

»Mit K oder mit C?«, frage ich, um zu signalisieren, dass ich keinerlei Gedanken an ihn verschwendet habe.

Viktor: Mit K.

»Schön«, sage ich, ergreife die Hand und schaue ihm in die eisblauen Augen. Seine Hand ist stark und fühlt sich warm an, obwohl sie kalt und nass ist.

Viktor: Was ist das für eine Narbe unter deinem Auge?

Was ist das für eine unangebrachte Frage?

»Fahrradunfall«, lüge ich.

Dann schaut er auf meine Lippen, wie es Menschen manchmal machen, wenn sie ihr Gegenüber küssen möchten. Eigentlich hasse ich diesen Blick. Ich hasse diesen Blick.

Viktor: Deine Lippen sind blau. Die Sonne kommt heute nicht mehr. Du solltest gehen, sonst erkältest du dich. Bis dann.

Bevor ich etwas erwidern kann, verschwindet sein Kopf unter Wasser, und er taucht zum Beckenrand, er stützt sich auf und steigt aus dem Becken, duscht sich kurz ab und verschwindet in einer Kabine. Eine Minute später kommt er in einer weinroten Nike-Trainingshose, einem weißen lockeren Shirt und mit Adiletten aus der Kabine. Er sieht, dass ich ihn anstarre, grinst belustigt, hebt die Hand zum Abschied und verschwindet durch die Tür. Ich liege da in dem Schwimmring und will mich nicht bewegen. Mein Körper ist taub. Viktor mit K.

Am Sonntag ruft dann Leon an.

Leon: Ich bring Pizzen mit. Was wollt ihr?

Ich: Bring doch eine Familienpizza mit.

Leon: Nee, ich hasse Teilen.

Ich: Dachte, du bist in einem Kollektiv.

Leon: Beim Essen hört das Teilen auf.

Ich: Sollte es da nicht eigentlich anfangen?

Leon: Ach, Wildkätzchen.

Ich: Hawaii und Funghi.

Leon: Und Andrea?

Ich schaue Mama an: Leon bringt Pizza mit, willst du auch?

Sie überlegt. Eigentlich meidet sie den Kontakt mit anderen Menschen als uns oder ihren Männern; Ida und ich haben nie Besuch, aber Leon ist die Ausnahme. Früher kam Marlene ein paarmal mit zu mir, als Ida da war und ich nicht mehr so oft mit Marlene abhängen konnte und wollte. Leon holte sie abends oft mit dem Auto ab und kam auch noch kurz rein. Aber als Marlene immer stärker in ihre aufmüpfige Phase kam, meine Mutter provozierte und eines Abends als »egozentrische Alkoholikerin, die sich nicht um ihre Kinder kümmert« bezeichnete, schmiss Mama Marlene »Raus!«. Wir flüchteten zu Marlene, und als ich abends zurückkam, hörte ich Ida schon im Hausflur schreien, im Wohnzimmer stand sie wie am Spieß brüllend im Laufstall. Ich weiß noch, wie ich Ida auf den Arm nahm, die Tür zur Küche öffnete und Schock: Mama saß in einem Meer aus Blut, Scherben und Wodka. Ihre Hände und Arme waren aufgeschnitten und unbeholfen mit Küchenrolle umwickelt. »Ausgerutscht«, murmelte sie. Ich verdeckte Idas Augen, stellte sie wieder in den Laufstall, rief den Notarzt, setzte Mama auf den Stuhl, begutachtete ihre Wunden, die zum Glück nicht allzu tief waren, und zog die Scherben aus ihrer Haut. Sie schien tatsächlich hingefallen zu sein und sich mit Händen und Armen abgestützt zu haben. Im 1. Augenblick dachte ich was anderes, als sie da so saß mit ihren blutenden Handgelenken. Sirenen. Der Notarzt kam, »alles halb so schlimm«, sagte er. Ich dachte, dass das alles schon ganz schön schlimm war, sagte aber nichts. »Ihr habt eure Mama schnell wieder«, sagte er, und ich nickte. Der Notarzt nahm Mama mit ins Krankenhaus, ich blieb bei Ida, die einfach nur bewegungslos im Laufstall saß und mich anschaute. Ihre Kleinkindaugen schienen mich etwas zu fragen, ich zuckte mit den Schultern, ging in die Küche, beseitigte das Chaos und beschloss, dass Marlene nicht mehr kommen durfte.

Als ich mich ein paar Jahre später ab und zu mit Leon traf, immer wenn er aus Berlin zu Besuch war, und er mich manchmal nach unseren Treffen bis vor die Haustür brachte, rief Mama eines Abends, als wir uns vor der Tür küssten, aus dem Fenster: »Leon – wie schön. Bleib doch zum Essen.« Wir bestellten Pizza, Leon war wie immer charmant und Mama verliebt. Fast schon verliebter als ich. Seitdem kam er während jeden Besuchs 1-mal zum obligatorischen Pizzaessen, und Ida und ich mochten das, weil Mama sich dann immer so zusammenriss.

Mama: 4 Jahreszeiten.

Mama mochte Leon schon vor dem Pizzaritual, nämlich seit er meinen Mitschüler Kai Balling verprügelt hatte, weil Letzterer meinte, dass mein Vater sich eine neue Familie gesucht habe, weil ich so stinken würde. In der Zeit hat Mama es nicht geschafft, meine Kleidung zu waschen oder mich zum Duschen zu animieren. Danach hatte ich natürlich beides im Griff. Ich war damals gerade aufs Gymnasium gekommen und als die Durchsage »Tilda Schmitt und Leon Höfer bitte zum Schulrektor ins Büro« kam, ich dort Kai Balling mit einem blauen, dicken Auge und Nasenbluten antraf und dann Leon mit einer verbundenen Hand durch die Tür zum Büro des Rektors kam, war das einer der glücklichsten Momente meiner Schulzeit. Natürlich breitet Mama wie jedes Mal diese Kai-Balling-Geschichte aus, als wir essen. Irgendwann lehne ich mich zurück und beobachte sie und Leon, wie sie ihm Fragen zu Berlin stellt, zu seiner Kunst, und wie er sie ausführlich beantwortet. Leon ist taktvoll und weiß, dass er Mama nicht einfach so normale Fragen stellen kann wie »Wie läuft die Arbeit?«, »Gibt es Urlaubspläne?«, »Wie gehts dir?« usw. Aber sie erzählt ungefragt von sich, dass es ihr gut gehe und dass sie sich überlege, sich in einem Café zu bewerben, dass sie früher als Jugendliche oft im Service gearbeitet hat. Mama hat eigentlich noch nie gearbeitet. Kurz vor ihrem Magisterabschluss wurde sie schwanger mit mir und brach das Literaturstudium ab. Sie zog mit meinem Vater von der Stadt in diese Kleinstadt, weil die Wohnung meiner Großtante frei wurde, und war seitdem die meiste Zeit zu Hause, während mein Vater, der in der Zeit Doktorand im Germanistischen Seminar war, zwischen Stadt und Kleinstadt pendelte. Eine Zeit lang, etwa ein Jahr nachdem mein Vater uns verlassen hatte, half sie bei Klaras Bücherstube aus. Die Arbeit mochte sie eigentlich, aber nachdem sie mehrmals alkoholisiert oder gar nicht zur Arbeit gekommen war, wurde ihr gekündigt. Seitdem lebten wir von Unterhaltzahlungen meines Vaters, Kindergeld und meinem Gehalt. Ida und ich wechseln einen Blick, und ich sehe, dass dieser Dialog sie genauso verwundert wie mich. Wir lächeln uns ein bisschen belustigt an.

Irgendwann interveniere ich, weil mir das dann doch alles zu unehrlich und grotesk vorkommt.

Ich: Ida, Leon will mal deine Bilder anschauen. Ist das okay?

Ida zuckt mit den Schultern.

Ich stehe auf: Kommst du mit?

Ida schüttelt den Kopf.

Als Leon vor Idas Bilderwand steht und sich jedes Bild ganz genau anschaut, nah herantritt, dann wieder 3 Schritte zurückgeht, das Licht an- und wieder ausknipst und dann sagt: »Ich mag ihre Bilder. Sie hat Talent und vor allem Fantasie«, bin ich entzückt. Ich trete neben ihn, er dreht sich zu mir, schaut mir in die Augen. Da ist eine

Frage in seinem Gesicht, ich weiß aber nicht, welche. Ich weiß, welche, aber ich weiß keine Antwort. Er legt mir die Hand an die Wange. Ganz sanft. Ganz sanft streichelt er mit seinen Fingerspitzen meine Wange. Eigentlich sollte ich zurückweichen, aber ich kann nicht, weil ich es noch kurz spüren will. Noch kurz. Ich schaue ihn an und frage mich, ob ich ihn noch 1-mal küssen will, so wie früher so oft. Ich frage mich, ob ich meine Hand auf seine Hand oder auf seine Wange legen will. Ich frage mich, warum seine Hand so gut riecht. Terpentin, Farbe, Nivea, und da ist noch etwas. Früher hat sie anders gerochen. Seine Hand riecht nach Terpentin, Farbe, Nivea und Sommer. Ich frage mich, ob das Terpentin meinen Verstand benebelt, und ich frage mich, warum er die Hand von meiner Wange löst, den Kopf schüttelt und einen Schritt zurückgeht.

Leon: Du bist dran.

Ich: Wie meinst du das?

Leon: Ich mache nicht immer den 1. Schritt.

Ich: Du schaust zu viel GZSZ.

Er lächelt mich an und schüttelt den Kopf.

Seit wann schüttelt er so oft seinen Kopf?

Ich: Seit wann schüttelst du so oft den Kopf?

Leon: Ich dachte immer, dass es daran liegt, dass du nicht weißt, was du willst. Aber inzwischen denke ich, dass du ganz genau weißt, was du willst und was du nicht willst.

Ich: Leon.

Er umarmt mich und geht, ohne noch irgendwas zu sagen. Und ich stehe da und will ihm hinterherrennen, ihn festhalten, ihn dazu zwingen, seine Hand wieder auf meine Wange zu legen wie vorhin. Aber ich stehe hier. Stumm und starr. Stumm und starr stehe ich hier und schmecke das Salz meiner Träne, die über meine Wange läuft und den Geruch nach Terpentin, Farbe, Nivea und Sommer hinunterspült. Dieser Abschied fühlt sich ganz anders an als die vielen kleinen Abschiede, die wir schon zusammen durchgemacht haben, wenn er wieder nach Berlin fuhr. Das mit uns beiden begann ja quasi mit seinem Abschied, als er nicht mehr hier wohnte. In dem Herbst, als Marlene gerade nach Thailand geflogen war, rief er eines Abends an und jammerte, dass seine treulosen Eltern einfach auf eine Hochzeit gegangen seien, obwohl sie hohen Besuch hätten, und er nun Angst allein in dem großen Haus seiner Eltern habe, und er fragte, ob ich Lust hätte, vorbeizukommen und auf ihn aufzupassen. Ich hatte Lust. Die ersten Treffen waren eigentlich am aufregendsten, weil da diese Spannung in der Luft lag und ich mir sicher war, in ihn verliebt zu sein. Dass er mich immer so intensiv anschaute, machte mich nervös. Am letzten Abend, bevor er wieder fuhr, schliefen wir dann miteinander. Seitdem verabschiedete er sich konsequent mit seinem Grübchenlächeln und den Worten »Bis zum nächsten Mal«. Auch als ich mich ein bisschen von ihm distanziert hatte, sagte er noch »Bis zum nächsten Mal« mit einem kleinen Fragezeichen hintendran.

Diesmal gibt es kein »Bis zum nächsten Mal«, auch nicht mit einem kleinen Fragezeichen hintendran. Es fühlt sich endgültig an, und ich kenne mich aus mit Abschieden. Ich bin ein richtiger Profi im Verabschieden. Wie eine Mutter, deren Kinder nacheinander in die weite Welt ziehen und erwachsen werden und die als Oma gar nicht mehr zusammenkriegt, in welcher Stadt die einzelnen Enkelkinder jetzt eigentlich wohnen. Streng genommen war mein Vater der 1., der gegangen ist, dann Leon, wobei das wie gesagt nicht so schlimm war wie dieses Mal. Dann ist Marlene nach dem Abi nach Thailand gegangen, und viele andere aus unserer Stufe setzten sich auch einen Backpack auf und flüchteten nach Australien oder Kanada. Andere sind sofort zum Studieren weggezogen. Manche sind auch hiergeblieben, aber niemand, mit dem ich befreundet war. Nach einem Jahr kam Marlene wieder. Dann ist Ivan gegangen. Und Marlene ist ohne ihn nach Amsterdam gegangen, während ich die ganze Zeit hiergeblieben bin. Ich bin die ganze Zeit hiergeblieben, ganze 6 Jahre nach dem Abi, und während meine Freunde wegzogen, umzogen und reisten und ein Freund starb, war ich 6 Jahre hier, habe gearbeitet, studiert, Ida großgezogen und mich gefreut, wenn Marlene oder Leon mal zu Besuch kamen. Wie eine Oma.

Ida: Warum weinst du, Tilda?

Ida steht vor mir und nimmt meine Hand. Ich bin immer noch in ihrem Zimmer.

Ich: Ich weine nicht.

Ich schaue zu Ida hinunter, wie sie in meinem pastelllilafarbenen Nike-Kapuzenpullover zu mir heraufschaut und nicht weiß, was sie sagen soll. Sie öffnet und schließt ihren Mund und hat eine kleine Falte zwischen den Augenbrauen, die sie immer hat, wenn sie nachdenkt.

Ida: Ich weine auch nicht.

Und es sind Momente wie diese, in denen ich begreife, dass ich gar nichts bereue und auch mit niemandem tauschen will. Ich lache laut, und Ida lächelt, weil sie sich freut, dass ich nicht mehr weine, dabei weine ich immer noch, aber ich lache auch laut, weil ich Ida habe und Ida mich hat.

Langsam wage ich es, mich ein bisschen zu entspannen. Sie trinkt seit 13 Tagen nicht, und der Abendbrottisch ist täglich gedeckt. Jeden Abend renne ich fast nach Hause, weil ich neugierig bin, ob der Tisch gedeckt ist, und ich Angst davor habe, dass er es nicht ist. Und jeden Abend, wenn ich das Schälchen mit Radieschenröschen auf dem Tisch erblicke, die eigentlich niemandem von uns schmecken, die aber schön aussehen, atme ich erleichtert aus, spüre so etwas wie Glück in meinem Bauch, stopfe mir eine bittere Rose in den Mund und linse zu dem schlaffen an der Tür hängenden »Klaras Bücherstube«-Jutebeutel, in dem nur ein leeres Glas Nutella steckt. Es gibt oft Phasen, in denen es besser läuft, aber nicht so. Mama ist nie so aktiv und ausdauernd, und ich verbiete mir, mir auszumalen, wie diese Phase enden wird. Wenn sie sonst in ihren guten Phasen weniger trinkt, setzt sie sich abends mal zu uns und fragt Ida, wie es in der Schule war, aber dann wird der Schalter auch schnell wieder umgelegt. Ich weiß natürlich, dass ich alarmiert sein muss, dass sie dieses Level an Aktivität nicht lange halten kann und dass wir keine Abendbrottisch-Familie sind, aber ein bisschen darf ich ja auch träumen. Abends erzählt Mama, was sie gemacht hat, dass sie beim Arbeitsamt war, dass sie einkaufen war, dass sie ein Bewerbungsgespräch in einem Café hatte, dass sie ein Bewerbungsgespräch in einem Restaurant hatte, dass sie ihren Kleiderschrank ausgemistet hat. Und sie stellt Ida und mir Fragen. Die ersten Fragen beantworten wir kurz und knapp, ja, nein, gut. Aber Ida wird mutiger. Gestern hat sie von ihrer letzten Sportstunde in der 4. Klasse erzählt, in der ihre Klassenkameradin Nadine beim Bocksprung wie ein wütender Stier mit geblähten Nüstern und scharrenden Hufen Anlauf genommen hat, unverhältnismäßig dynamisch auf den Bock zugaloppiert ist und letztlich gegen denselben anstatt über ihn gesprungen ist. Der Bock ist mit ihr umgefallen, und Kinder und Lehrer waren angesichts des kraftvollen Auftritts und der Wucht des Sturzes so perplex, dass niemand gelacht hat. Karlo, der sich dann doch zu einem Lachen durchgerungen hat, wurde nach der Schule von Nadine abgefangen und in den Bauch geboxt. Diese Nadine ist echt stark. In jeder Hinsicht. So stark, dass Mama und ich uns fast nicht getraut haben zu lachen.

Abends liege ich im Bett und lasse es jeden Tag ein bisschen mehr zu, mir eine Zukunft in Berlin auszumalen.

Der Himmel ist dunkelviolett, als wir das Haus am nächsten Morgen verlassen. Es ist drückend und wird heute im Laufe des Tages sehr wahrscheinlich gewittern. Weil es Idas letzter Tag in der Grundschule ist, frage ich mich, ob Eltern etwas Besonderes zu ihren Kindern sagen müssen an diesem Tag, so was Glückwünschendes, Beglückwünschendes oder Resümierendes, aber ich kann mich an nichts erinnern, und mir fällt gerade auch nichts Passendes ein.

Ich: Und freust du dich schon auf die neue Schule?

Ida zuckt mit den Schultern, während sie scheinbar konzentriert auf dem Bordstein balanciert. Irgendwann läuft sie dann wieder neben mir.

Ida: Tilda?

Tilda: Hmm?

Ida: Bist du eigentlich in Leon verliebt?

Tilda: Nein, ich glaube nicht, und du?

Ida kichert: Nein.

Tilda: Ida?

Ida: Hmm?

Ich: Leon hat deine Bilder angeschaut und meint, dass du Talent und Fantasie hast.

Sie schaut starr auf den Boden.

Ich: Bleib da auf jeden Fall dran. Cool, dass du einen Weg gefunden hast, dich auszudrücken, und den ganzen Mist mit Mama, du weißt schon, was ich meine ...

Ida nickt.

Ich: Wir schaffen das schon alles.

Ida scheint keine Lust auf so eine Unterhaltung zu haben und läuft an mir vorbei, balanciert wieder auf der Bordsteinkante.

Ida: Es war einmal eine mutige Ritterin. Ihr Name war Tilda. Sie war sehr stark und schön. Viele Prinzen und Ritter wollten das Herz von Ritterin Tilda gewinnen. Auch der Prinz Leon. Aber Tilda glaubte, dass sie nicht in ihn verliebt war. Dann tauchte im Königreich ein einsamer Seemann auf. Wie aus dem Nichts. Keiner wusste, woher er kam. Keiner wusste, was er wollte. Aber er hatte sehr traurige Augen. Tilda fand die Augen des Seemanns ...

Das reicht. Wann hat sich der Clown denn das ausgedacht? Ich überhole sie.

Ich: ... viel zu traurig, und sie hatte genug zu kämpfen mit den ganzen Monstern da draußen. Deswegen entschied sie sich dazu, den Seemann zu ignorieren und sich grundsätzlich von den Männern abzuwenden und sich ihrer großen Liebe, der Mathematik, hinzugeben. Ida überholt mich.

Ida: Aber immer wenn sie abends im Meer schwimmen ging, war da auch der Seemann. Er konnte noch besser schwimmen als Ritterin Tilda. Und Ritterin Tilda schaute ihm immer zu beim Schwimmen. Dieser Teufel. Ich überhole sie.

Ich: Dann verschwand der Seemann eines Tages, so wie er gekommen war, ganz plötzlich, Tilda wurde Mathematikerin, und ihre kleine unbedeutende Haussklavin wurde Künstlerin. Die beiden bauten sich eine kleine Hütte am Meer und malten, rechneten und badeten den ganzen Tag. Und wenn sie nicht gestorben sind ...

Ida überholt mich.

Ida: ... dann malen und rechnen sie noch heute. Und nachts träumt Tilda von den traurigen Augen des Seemanns.

Wir stehen vor der Schule. Sie hat gewonnen. Verdient.

Ich: Wenn das Gewitter vor 5 runterkommt, dann gehen wir ins Schwimmbad. Wenn es um 5 noch nicht gewittert hat und es noch immer so schwül ist, lassen wir es, in Ordnung?

Ida: In Ordnung.

Sie geht zum Eingang, dreht sich um und winkt mit einem frechen Lächeln, das mich glücklich macht. Die kleine Ida.

Um 5 Uhr ist immer noch kein Gewitter heruntergekommen, also bleibe ich noch ein bisschen in der Bib.

Der Himmel ist inzwischen fast schwarz, es donnert in der Ferne, und es windet unheilvoll. Eigentlich wollte ich abwarten, bis das Gewitter ausbricht, aber als um 7 immer noch das Vorspiel läuft, packe ich meine Sachen zusammen. Und natürlich beginnt es zu tropfen, als ich das Gebäude verlasse. Es donnert so laut, dass der Boden bebt. Eine Sekunde später: ein Blitz, der viel zu lang und gefährlich in meine Richtung schießt. Fuck. Ich renne zur Haltestelle, die eigentlich nur 3 Minuten entfernt liegt, während der Himmel bricht und alles gibt. Es blitzt, donnert, schüttet, hagelt, stürmt, und in der Straßenbahn beginnt dann auch noch mein Körper, unkontrolliert zu zittern. Das Gewitter ist vorbei, es ist scheißkalt und nieselt, als ich die Bahn verlasse. Das Wetter hat umgeschlagen. Ich renne nach Hause und bekomme die Scheißhaustür nicht auf, weil meine Finger so kalt und gefühllos sind. Ich klingle, aber niemand macht auf. Als ich sie endlich aufbekomme, habe ich das gleiche Problem mit der Wohnungstür, und als ich endlich drin bin, schlage ich die Tür zu und befreie mich umgehend von den kalten, triefnassen Kleidern. Ich nehme das Handtuch aus meinem Rucksack, wickle es um, und ein Schauer durchläuft mich, als ich in der Küche keinen gedeckten Tisch erblicke. Kein Schälchen mit Radieschenröschen nach 14 Tagen Radieschenröschen. Am 15. Tag ist der Tisch nicht mehr gedeckt.

Ich: Ida!

Keine Erwiderung.

Ich: Mama!

Keine Erwiderung.

Im Wohnzimmer liegt Mama halb auf dem Sofa wie ein schlafendes Pferd oder ein Monster, das gerade erledigt wurde, und reagiert nicht, als ich es frage, wo Ida ist. Fuck. Fuck. Fuck. Ich renne hoch, Idas Tür steht offen, und sie ist nicht da.

»Was ist passiert?«, schreie ich und renne zum Monster.

Ich schüttle das Monster, aber es brummt nur.

Ich: WAS IST PASSIERT?!

Monster: Ist abgehauen. Wollte keinen Kuchen backen mit Mama.

Ich: Wohin?

Monster: Keine Ahnung. Redet ja nicht, das kleine Ding. Malt immer nur. Die ganze Zeit. Immer malen, malen, malen.

Purer Hass. Am liebsten würde ich das Monster erledigen.

Auf der Straße merke ich, dass ich lediglich mit Handtuch und Adiletten bekleidet bin, renne zurück, ziehe das Hasenshirt an und renne zum Schwimmbad. Der Eingang ist schon geschlossen. Fuck. Der Golf des Bademeisters und Viktors G-Klasse stehen noch da.

Ich bin so verzweifelt, dass ich mich neben sein Auto stelle und auf ihn warte. Als er mich sieht, bleibt er verdutzt stehen, findet aber schnell wieder zu seinem undurchdringlichen Blick zurück und setzt seinen Weg fort. Als er direkt vor mir steht und mich mustert, sieht sein Gesicht anders aus als sonst. Unter der Zornesfalte, die jetzt kaum zu erkennen ist, leuchten seinen Augen besorgt und leicht ängstlich.

Viktor: Tilda, was ist passiert?

Ich: Ida ist weg.

Ich kann die Tränen nicht zurückhalten.

Ich: Sie ist abgehauen, und ich habe keine Ahnung, wohin sie abhauen würde. Sie ist noch nie abgehauen. Und es ist so kalt und regnet, und sie ist ein kleines Mädchen. Und es wird dunkel. Und …

Viktor: Ganz ruhig. Ist sie vielleicht zu einer Freundin gegangen?

Ich: Sie hat keine richtigen Freunde.

Viktor: Verwandte?

Ich: Keine Verwandten.

Viktor: Wo gehst du mit ihr oft hin?

Ich: Ins Schwimmbad.

Viktor: Und sonst?

Ich: Keine Ahnung. Morgens bringe ich sie in die Schule, und abends gehen wir, wenn es regnet, ins Schwimmbad.

Viktor: Und wenn es nicht regnet?

Ich: Manchmal gehen wir in den Wald.

Viktor: Zu einem bestimmten Ort im Wald?

Ich: Zu der Lichtung am Bach.

Viktor: Dann fahren wir da jetzt hin.

Mir ist schlecht vor Angst, und ich zittere wie wild.

Als wir mit seinem Auto in den dämmrigen Wald eintauchen, wird mir kotzübel bei dem Gedanken, dass Ida hier irgendwo allein ist. Langsam fährt er den steilen Waldweg am Bach entlang, und mein Puls überschlägt sich.

Als die Lichtung allmählich im Scheinwerferlicht auftaucht, ich dann unsere Bank erblicke, auf der Ida sitzt, jauchze ich vor Erleichterung, springe aus dem Auto, renne zu Ida und schließe sie in meine Arme. Während ich sie in den Armen halte, spüre ich ganz körperlich, wie mir ein Meteorit vom Herzen fällt. Ich erwarte mit geschlossenen Augen den Aufprall auf dem Boden, der nicht kommt, schaue in den Himmel und meine, einen Festkörper zurück Richtung Kosmos schießen zu sehen. Und auf einmal fühlt sich alles ganz leicht und schön an, obwohl es das natürlich nicht ist.

Ida: Ich wusste, dass du kommst.

Ich: Abends in den Wald rennen – das ist so doof, Ida.

Ida: Das machst du doch auch oft.

Ich: Was ist passiert?

Ida beginnt, leise zu weinen, und ich bin geschockt, denn eigentlich weint Ida nicht. Sie hat irgendwann die Entscheidung getroffen, nicht mehr zu weinen. Aber nun scheint sie die Entscheidung widerrufen zu haben und lässt mit diesem Widerruf alle angestauten Tränen der letzten Jahre aus sich herausfließen. Es dauert bestimmt 13 Minuten, bis dieser 2. Wolkenbruch heute ein Ende hat. Danach liegt sie noch 2 Minuten mit Schluckauf in meinem Arm, bis sich ihr Atem vollends beruhigt.

Ida: Ist aber nett vom Seemann, dass er dich hierhergefahren hat.

Er lehnt mit verschränkten Armen an seinem Auto und schaut zu uns.

Ich: Ja, ein netter Seemann. Lass uns seine Gutmütigkeit nicht überstrapazieren. Komm, du musst schnell in die warme Badewanne. Du bist klitschnass und eiskalt.

Erst im Auto sehe ich, dass Ida eine blaue Backe hat, und jetzt würde ich das Monster wirklich am liebsten vernichten. Deswegen ist sie in den Wald und nicht ins Schwimmbad gerannt. Keine Menschen.

Viktor fährt an unserer Wohnung vorbei und schaut in den Rückspiegel zu mir und Ida.

Viktor: Ihr könnt heute Nacht bei mir schlafen.

Ich nicke.

Ida ist so erschöpft, dass sie im Auto sofort mit dem Kopf auf meinem Schoß eingeschlafen ist. Ich spüre, wie der Schlaf auch Besitz von mir ergreifen möchte.

Viktor: Tilda?

Ich: Hmm?

Viktor: Was macht ihr da, wenn ihr sonst zu der Lichtung geht?

Ich: Wir sitzen da auf der Bank, und Ida malt.

Viktor: Und du?

Ich: Ich rechne oder lese.

Viktor nickt.

Ida und ich weichen meistens auf die Lichtung aus, wenn Mama sich mit diesem Feuer in ihren Augen zu uns an den Esstisch setzt und das Wetter zu gut fürs Schwimmbad ist. Mama kommt dann in die Küche und sagt so was wie »Na, meine Fleißigen« oder »Na, meine Süßen«, immer irgendwas mit diesem blöden, lang gezogenen »Na«. Ida und ich riechen, sehen und hören sofort, dass sie getrunken hat. Dass sie viel getrunken hat. Dann setzt sie sich zu uns und schlägt in der Regel eine Unternehmung vor, die wir zu dritt angehen könnten. Kochen, backen oder Eis essen gehen.

Mama: Wollen wir was unternehmen? Wir können in die Eisdiele gehen?

Mama war noch nie mit uns beiden in einer Eisdiele. Und sie will auch nicht mit uns in eine Eisdiele. Ida und ich wissen, dass sie nicht mit uns in eine Eisdiele will, wir wissen, dass sie gerade der böse Wolf ist und nicht die liebe Großmutter, wir erkennen die großen Augen und vor allem das Feuer darin, und wir wissen, dass sie zerstören will. Ida und ich wissen, dass sie nur ein Sprungbrett für eine Auseinandersetzung sucht, dass sie, bevor wir in eine Eisdiele gehen würden, ein Kleidungsstück nicht finden würde, das wir ihr geklaut hätten und sofort zurückgeben sollten, oder beim Kochen eine wichtige Zutat fehlen würde, die wir doch eigentlich wie jede normale Familie zu Hause haben müssten. Warum zur Hölle haben wir keine Sahne? Und dann rastet sie aus. Deswegen packen wir, wenn sie sich mit diesem Feuer in ihren Augen zu uns an den Esstisch setzt und das Wetter zu schön fürs Schwimmbad ist, unsere Sachen zusammen und gehen in den Wald zu unserer Lichtung.

Ich streiche der Kleinen die nassen Locken aus dem Gesicht und betrachte die schlafende bunte Ida mit ihrer blauen Wange. Die weißen, nun braunen Fake-Chucks, die schlammverschmierte pink-rosa gestreifte Leggins und mein neongrüner zu großer Kapuzenpullover. Meine Augen brennen. Ich kann den kleinen Rockstar doch nicht allein mit diesem Monster lassen. Was wäre heute mit Ida passiert, wenn ich nicht da gewesen wäre? Wäre sie dann auch in den Wald gerannt? Wie lange wäre sie da an der dunklen, nassen Lichtung geblieben? Hätte sie dort übernachtet? Oder hätte sie jemand geholt? Mir wird schlecht. Das geht so nicht weiter, egal, ob ich gehe oder bleibe. Ich muss sie auf solche Situationen besser vorbereiten. Und da genügen nicht ein paar Filme.

Wir fahren an der Lärmschutzmauer entlang, die das Neubaugebiet auf der einen Seite begrenzt, und als wir beim Kreisverkehr in die

Siedlung einbiegen, werde ich nervös. Früher waren Marlene und ich neidisch auf die Kinder, die hier gewohnt haben, weil es so coole Spielplätze gab und hier so viele Kinder wohnten, die immerzu auf den Spielplätzen und Spielstraßen spielten. Hier wohnen nur glückliche Familien, dachte ich immer. Inzwischen sieht die Siedlung nicht mehr so glücklich aus. Die weißen Reihenhäuser sind grau, die neuen Spielplätze sind älter, auch die jungen Eltern sind grau und unglücklich geworden, die Kinder von damals sind wie wir keine Kinder mehr und weggezogen in irgendwelche Städte. Manche Kinder haben vielleicht schon eigene Kinder. Und die neuen Kinder, die jetzt hier wohnen, sind auch nicht lange Kinder und ganz schnell grau und unglücklich. Und in 20 Jahren werden die Häuser noch grauer und die Spielplätze noch älter und kaputt sein. Vielleicht sogar abgezäunt mit »Betreten verboten«-Schild davor oder »Eltern haften für ihre Kinder«. Kinder haften für ihre Eltern, denke ich. Wir stehen vor dem ehemals weißen, inzwischen grauen Reihenhaus, das so aussieht wie alle anderen Häuser daneben. Nummer 9. Nein, es sieht anders aus. Leer. Traurig. Ich war noch nie in dem Haus, nur 1-mal stand ich davor, als es noch so aussah wie die anderen Häuser daneben. An der Klingel steht immer noch »Familie Wolkow«.

Ich habe Angst vor dem Inneren, vor der Leere und der Traurigkeit. An der Wand im Eingangsbereich hängen Bilder von seinen Eltern und Geschwistern. Ivan, Sasha und Nika. 21, 14 und 9. Als ich das lachende Gesicht von Ivan sehe, wird mir schlecht. Wenn er lachte, strahlte sein ganzes Gesicht, und das Eis in seinen Augen schmolz. Ich habe mit Ida noch nicht über den Unfall gesprochen, und ich glaube, dass sie nichts davon weiß. Wahrscheinlich spürt sie, dass hier etwas anders ist, dass hier keine Familie wohnt, doch sie stellt keine Fragen. Hier riecht es nicht nach Essen, es liegen keine Schuhe in unterschiedlichen Größen oder anderer Kram herum, es ist nicht laut. Hier riecht es nach Wald, nach Herbst. Er scheint den ganzen Tag zu lüften. Es ist sauber, ordentlich, kalt, vor allem ist es still. Im

Wohnzimmer liegen oder stehen im Regal neben dem Fernsehtisch vereinzelt noch ein paar DVDs, Bücher und Bilder, aber vieles scheint schon weggeschmissen worden zu sein. Viktor ist komisch, seit wir in seinem Haus sind. Noch komischer als sonst. Er ist immer komisch und distanziert, aber nun hat seine Distanziertheit neue Sphären erklommen. Er meidet jeglichen Blickkontakt und ist fahrig.

Viktor: Ist das Sofa zum Schlafen in Ordnung? Oder lieber meine Matratze?

Ich frage mich, ob die Schlafzimmer seiner Eltern und Geschwister bereits geleert oder unberührt sind, und rechne mit Letzterem.

Ich: Das Sofa ist gut, danke.

Viktor: Bettwäsche und Klamotten lege ich aufs Sofa, das Badezimmer ist oben rechts, Handtücher sind im Schrank unter dem Waschbecken. In der Küche gibt es Essen. Bedient euch.

Viktor verschwindet die Treppe nach oben, immer 3 Stufen auf 1-mal, und als er oben ist, tappt Ida ihm hinterher und geht ins Badezimmer. Ich setze mich aufs Sofa und sitze einfach nur da. Minuten vergehen, während ich die weiße Wand mir gegenüber betrachte, bis ich Viktor betrachte, der die Treppe mit einem Stapel an Klamotten und Bettwäsche herunterkommt und mir übergibt. Sein Blick sagt »Entschuldigung«, ich will »Ist in Ordnung« sagen und hoffe, dass mein Blick »Ist in Ordnung« sagt.

Viktor: Ich muss noch was arbeiten. Essen ist in der Küche.

Ich: Ist in Ordnung.

Er sagt »Gute Nacht«, ich sage »Gute Nacht«, er dreht sich um, und ich beobachte ihn, wie er diesmal langsam, 1 Schritt pro Stufe, die Treppe hinaufsteigt.

»Danke«, sage ich, er hält kurz inne, dreht sich nicht um, sagt leise »Sorry«, geht weiter und ist weg.

Er hat Ida einen gelben mit Bambi bedruckten Schlafanzug von Nika gegeben und mir ein weißes Shirt und seinen weinroten Nike-Jogginganzug, den er oft im Schwimmbad trägt. Ida kommt in ein

Handtuch gewickelt die Treppe herunter, sie schlüpft wortlos in den Schlafanzug, legt sich hin, rollt sich in die Decke ein und schließt die Augen. Sie will nicht reden, ich lausche ihren Atemzügen, und als sie nach einer guten Stunde endlich eingeschlafen ist, gehe ich duschen. Eine gefühlte Ewigkeit lasse ich abwechselnd heißes und kaltes Wasser auf mich rieseln, beende die Duschsession mit eiskaltem Wasser, schlüpfe in Viktors Jogginganzug, lege mich auf den Rücken neben Ida auf das Sofa und starre an die Decke. Was ein Scheißtag. Ich denke an den Sommer, an den klebrigen Sommer vor 5 Jahren. An diesen letzten Tag, mit dem der klebrige Sommer abrupt vorbei war. Ivans letzter Tag. Der 8. August. Es war ein heißer, schwüler Tag. Marlene und Ivan hatten mich wie so oft von der Arbeit abgeholt, und wir fuhren an den See.

Ich weiß noch, dass Ivan uns erst am See erzählte, dass er am nächsten Tag eine Woche mit seiner Familie nach Russland fahren würde, um Verwandte zu besuchen. Eigentlich wollte er nicht mit, aber dann wollte er eben doch mit, weil seine Mutter so traurig war, dass er nicht mitwollte. Marlene und ich machten uns darüber lustig, dass er noch mit seiner Familie in den Urlaub fuhr. Aber das meinten wir natürlich nicht so. In Wirklichkeit fanden wir das schön und waren ein bisschen neidisch. Marlene hat, seit sie 14 oder 15 Jahre alt ist, ein schlechtes Verhältnis zu ihren Eltern, weswegen sie sogar schon bei einer Therapeutin war. Als sie dort alle Familienmitglieder als Tiere malen sollte, wurde ihr Vater eine Ratte und ihre Mutter ein Schaf. Im Urlaub mit den beiden war sie zuletzt mit 15; ich war 7, als ich das letzte Mal richtig im Urlaub war. Mit Mama und Papa in Südfrankreich. Das war toll. Danach war ich noch ein paarmal mit Marlene an der Nordsee, wenn ich sie in Amsterdam besucht habe. Irgendwann fahr ich mit Ida in den Urlaub und zeige ihr das Meer, versprach ich mir, als wir an diesem Augusttag am See lagen und in den Himmel schauten.

Ich schließe die Augen und stelle mir fest vor, dass ich nicht auf dem

Sofa in dem leeren, traurigen Haus liege, in dem Ivan einst gelebt hat. Sondern auf der Wiese am See, und neben mir liegt Ivan, und neben Ivan liegt Marlene. Ich schaue nicht in die Dunkelheit des traurigen Wohnzimmers. Sondern in den mit dicken Gewitterwolken bedeckten Himmel.

Ich: Irgendwann fahr ich mit Ida in den Urlaub und zeig ihr das Meer. Wenn sie groß genug ist.

Marlene: Und Ivan und ich kommen mit, okay?

Ich: Okay.

Ivan: Wir können unsere Familienkutsche nehmen und fahren über Slowenien nach Kroatien, über Ljubljana nach Piran ans Meer und dann an der Küste entlang nach Kroatien. Pula, Medulin, Rijeka.

Marlene und ich nicken, obwohl Ivan das gar nicht sehen kann, weil wir alle auf dem Rücken liegen und in den Himmel zu den dramatischen Gewitterwolken schauen. Ivan liegt in der Mitte, ich liege links, Marlene liegt rechts von ihm. Ich drehe meinen Kopf nach rechts zu Ivan, sein Kopf liegt auf der linken Seite. Wir lächeln uns an.

Marlene: Versprich es.

Ivan: Was?

Marlene: Dass Ida, Tilda, du und ich mit deiner Familienkutsche nach Slowenien und Kroatien fahren.

Und während Ivan und ich uns immer noch anschauen, verspricht er es.

Marlene rollt sich auf ihn.

Marlene: Hey! Hier wird nicht fremdgeflirtet!

Sie dreht sein Gesicht mit beiden Händen in ihre Richtung und bedeckt es mit Küssen.

Wir lagen bis spätabends am See, und dann wollte Marlene unbedingt zu dieser Party in die Alte Wache, in der einer ihrer Lieblings-DJs auflegte. Ivan wollte nach Hause, weil die Familie am kommenden Morgen um 6 Uhr losfahren würde, und ich wollte nach Hause, weil ich müde war und am nächsten Tag arbeiten musste. Ivan und ich hatten natürlich keine Chance. Wir konnten »Nur kurz Vorbeischauen« aushandeln, fuhren noch schnell zu McDonald's und schauten anschließend kurz bei der Alten Wache vorbei. Und dann teilweise Filmriss. Ich weiß noch, dass Marlene unbedingt was nehmen wollte, weil sie die Musik ohne nicht richtig spüren konnte. Ivan hatte aber nichts dabei, und eigentlich wollten wir ja nur kurz vorbeischauen. Marlene wollte unbedingt, Ivan kannte irgendjemanden. Marlene bestand darauf, dass wir mitmachten. Wir machten mit. Und danach ist alles grell und laut und komisch, und ich hatte irgendwie einen Scheißtrip, an den ich mich kaum erinnern kann. Ich weiß nicht mehr, was wir genommen haben. LSD, glaube ich. Ich kann mich nur an das diffuse Gefühl und an einzelne Bilder erinnern, die immer noch beängstigend lebendig wirken. Am Anfang war da noch das warme bekannte Glücksgefühl. Aber anstatt sich auszubreiten, schlug es um. Ich schließe die Augen und bin wieder in diesem stickigen Club, in dem ich seit 5 Jahren nicht mehr war und in den ich nicht mehr gehen werde. Das Schwarzlicht, die Laserspiele, der Bass, die Beats. Die Beats, die wirklich in meinem Blut sind, die den Rhythmus meines Herzens diktieren, Marlene und Ivan neben mir. Ich bin eins mit dem Ganzen, auch wenn das Ganze viel zu viel ist. Der Bass kommt nicht aus der Anlage, sondern aus mir. Die Beats werden schneller, und mein Herz schlägt schneller. Cool. Die Beats werden schneller, und mein Herz schlägt schneller. Panik. Was passiert, wenn die Beats immer schneller werden? Oder wenn sie aufhören zu schlagen? Herzstillstand? Die Musik darf nicht aufhören. Sonst ist Ida allein. Wer bringt sie in den Kindergarten, wenn mein Herz nicht mehr schlägt? Ich muss hierbleiben, wenn ich überleben will. Ich muss weitertanzen. Den Beat in mein Blut lassen. Aber wer bringt sie dann in den Kindergarten? Ivan und Marlene neben mir eng umschlungen.

Ich tippe sie an, strecke die Arme aus, um ihnen zu zeigen, dass der Bass von mir kommt und nicht von der Anlage.

Ich schreie: Der Bass kommt von mir und nicht von der Anlage!

Sie lachen. Das ist nicht lustig.

Ich schreie: Das ist nicht lustig.

Ich schreie: Wenn mein Herz stehen bleibt, dann versprecht mir, dass ihr Ida in den Kindergarten bringt.

Marlene schreit: Das ist nicht lustig.

Ich schreie: Und abholt.

Wie konnte ich das Abholen vergessen?

Ich schreie: Und versprecht mir, dass ihr mit Ida nach Slowenien und Kroatien fahrt und ihr das Meer zeigt!

Marlene schreit: Das ist nicht lustig.

Ich schreie: Ich weiß. Ivan, ich habe mir alle Städtenamen gemerkt. Ihr dürft keine Stadt auslassen. Versprecht es!

Ivan schreit: Das ist wirklich nicht lustig, Tilda.

Ich schreie: Ljubljana, Piran, Pula, Medulin, Rijeka.

Es wird schlimmer. Der Raum wird eng. Die viel zu schwarzen Wände kommen auf mich zu.

Die Menschen, die immer näher und aggressiver um mich herumtanzen, mich betanzen, haben bunte, leuchtende Gesichter, die mich auslachen und anschreien. Die Knochen der Menschen scheinen sich aufzulösen, und sie sehen aus wie fluoreszierende Kaulquappen. Es ist so heiß, dass auch meine Knochen sich auflösen. Heißes Wasser. Überall. Ich bekomme keine Luft. Ich bin doch keine Kaulquappe. Ich muss hier raus. Aber kann ich hier raus? Was ist mit meinem Herzen? Es schlägt zu schnell. Die Beats sind viel zu schnell und zu laut.

Ich schreie die DJane an, dass sie die Musik langsamer und leiser machen soll. »Mein Herz«, schreie ich.

Sie lacht, ihr Gesicht verändert sich. Ihre blauen Augen werden groß und braun, ihr schwarzes kurzes Haar wird braun und lang, die Züge werden härter und älter. Die Stupsnase, der kleine Mund. Mama. Sie lacht mich aus.

»Mama!«, schreie ich.

Ich schreie: Mein Herz! Du tötest mich.

Ich schreie: Was ist mit Ida?

Ich schreie: Kümmerst du dich dann um sie?

Jemand zieht mich aus dem Wasser an die Wasseroberfläche, und frische Luft schlägt mir entgegen. Endlich. Ich lege mich auf den Boden und schaue in den Himmel. Es tröpfelt, es regnet, es schüttet. Blitze am Himmel. Wunderschön. Donner. Der Boden vibriert. Ich weiß nicht, wie lange ich da im Unwetter liege, es könnten 3 Minuten sein, aber auch 8 Stunden. Aber ich weiß, dass ich noch nie so etwas Schönes gesehen habe. Irgendwann hört es auf zu regnen, und ich bemerke, dass Ivan neben mir liegt und meine rechte Hand hält, und frage mich, wie lange er schon hier liegt und meine rechte Hand hält. Alles ist gut. Alles wird gut, denke ich.

Ivan: Hier, zum Runterkommen.

Ich wünschte, dass die darauffolgende Unterhaltung nie stattgefunden hätte, und manchmal rede ich mir ein, dass es ja sein könnte, dass ich mir das alles nur eingebildet habe. Natürlich weiß ich, dass das alles ganz genau so gesagt wurde, weil sich jedes Wort in meinen Kopf eingebrannt hat.

Ivan: Komm doch mit nach Russland.

Ich: Was?

Ivan: Dann kommst du mal hier raus.

Ich: Euer Auto ist doch voll.

Ivan: Wir sind oft zu viert auf der Rückbank, wenn mein großer Bruder dabei ist. Da ist genug Platz. Und Nika und Sasha sind zusammen schmaler als ein Erwachsener.

Ich: Und Marlene?

Ivan: Zu fünft ist zu viel.

Ich drehe meinen Kopf zu Ivan und sehe in seinem ernsten, bohrenden Blick, dass er keinen Spaß macht.

Er drückt meine Hand, ich erwidere den Druck, und in dem Moment kommt Marlene. »Ihr Verräter«, ruft sie, während sie sich auf Ivan stürzt und ihn küsst.

Übers Feld liefen Marlene, Ivan und ich in der Dämmerung nach Hause, mein Kopf war voll und laut. Um kurz vor 6 Uhr standen wir vor dem Haus. Das Auto stand schon voll bepackt bereit, und kurz überlegte ich, wie es sich anfühlen würde einzusteigen. Es wäre ganz einfach gewesen. Tür auf, hinsetzen, fertig. Aber Marlene und Ida. Ich bin nicht eingestiegen. Ivan und ich wechselten einen Blick, meiner sagte »Sorry«, seiner sagte »Ist schon okay«. Wir verabschiedeten uns.

Ich öffne meine Augen, streiche Ida sanft über die blaue Backe und schließe meine Augen wieder. Ich frage mich, was passiert wäre, wenn ich eingestiegen wäre, ob mein Einstieg die Ereigniskette verändert hätte und ob der Unfall dann nicht passiert wäre. Oder ob ich auch gestorben wäre. Ich frage mich, ob Ivan am Steuer saß. Und ich frage mich, ob ich es Viktor erzählen muss, jetzt wo ich sogar in dem Haus bin, vor dem ich mich vor 5 Jahren von seinem kleinen Bruder verabschiedet habe, und ob es falsch wäre, es ihm nicht zu erzählen.

Als mein Wecker wie jeden Morgen um 7 Uhr klingelt, checke ich erst nicht, wo ich bin. Aber dann sehe ich Ida in dem gelben Bambi-Schlafanzug und mit der blauen Backe neben mir und checke, wo ich bin und was für ein Scheißtag hinter uns liegt.

Ich schleiche in die Küche und erschrecke. Viktor sitzt da in grünen Boxershorts und einem weißen Shirt vor einem Laptop am Esstisch. Er schaut auf und lächelt leicht. Mit den verstrubbelten Haaren und den müden Augen sieht er aus wie ein kleiner, unschuldiger Junge.

Viktor: Hi.

Ich: Hi.

Ich bin froh, dass wir es beide nicht wagen, uns gegenseitig zu fragen, ob wir gut geschlafen haben.

Viktor: Kaffee?

Ich: Ja. Gerne.

Er steht auf und wirkt nicht mehr so fahrig wie gestern.

Viktor: Milch, Zucker?

Ich: Schwarz.

Viktor: Wer hätte das gedacht.

Ich brauche ihn nicht zu fragen, wie er ihn trinkt.

Er stellt 2 große volle Kaffeetassen auf den Tisch, setzt sich, und wir schauen uns kurz an, bevor wir dem Blick des anderen ausweichen. In seinem Gesicht die Angst und Überforderung, die auch ich schwer in meinem Bauch spüre. Wir beide wissen, dass der letzte Abend etwas zwischen uns verändert hat, und ich traue mich nicht, ihn zu fragen, was sich verändert hat. Und dann kommt Ida. In dem Bambi-Schlafanzug tapst sie in die Küche, ihre Backe ist nun dunkelblau und ein bisschen geschwollen.

Ich: Guten Morgen.

Sie schaut auf den Boden und setzt sich neben mich.

Viktor: Hast du Hunger?

Sie zuckt mit den Schultern.

Viktor: Cornflakes?

Sie nickt.

Viktor: Cini Minis oder Frosties?

Ida: Cini Minis.

Viktor steht auf, kratzt sich am Kopf, gibt ihr Cini Minis, Milch, Löffel und eine gelbe mit einem Gesicht bedruckte Schüssel. Die hatten wir auch mal, in Blau und Gelb. Gab es wahrscheinlich mal bei Aldi oder Tchibo. Zuerst ist die blaue kaputtgegangen, dann die gelbe. Die blaue ist Mama so wie vieles von unserem übrigen Geschirr auf den Boden gefallen. Mama ist schlimmer als ein Kleinkind, und eigentlich sollten wir nur Plastikgeschirr daheim haben. Die gelbe hat sie nach mir geworfen, als ich in meiner jugendlichen Naivität dachte, ich könnte das Trinken durch das Verstecken aller alkoholischen Getränke in unserer Wohnung unterbinden.

Ida: Oder darf ich auch Frosties mit Cini Minis mischen?

Ausgerechnet mit dieser Frage scheint sie ihm den Todesstoß zu versetzen; er reißt die Augen auf, wobei ich solch eine emotionale Entgleisung noch nie bei ihm gesehen habe, nickt und holt die Frosties aus dem Schrank.

Schweigend sitzen wir am Tisch. Ida löffelt ihre Cornflakes, ihr Blick ist auf ihr Frühstück gerichtet, ich trinke den Kaffee wie Wasser, obwohl er viel zu heiß ist, um meine Zunge zu verbrennen und mich abzulenken.

Viktor massiert seine Schläfen, und auf einmal treffen seine eisblauen Augen die meinen und bohren sich hinein wie spitze Eiszapfen.

Viktor: Tilda. Ich kann das nicht. Ihr hier. Ida in diesem Schlafanzug. Jemand anders muss euch helfen. Ich kann euch nicht helfen. Es tut mir leid.

Abrupt stehe ich auf.

Ich: Ida komm, wir gehen.

Ida lässt sofort ihren Löffel in die Schüssel fallen, als hätte sie auf das Kommando gewartet, springt vom Stuhl und ergreift meine Hand.

Ich: Tschüss, danke.

Ida: Tschüss, danke.

Viktor: Es tut mir leid.

Ich: Mir auch.

Ich spüre, dass er noch im Türrahmen steht, als wir gehen. Ich drehe mich um.

Ich: Dein Nachname passt zu dir.

Er lächelt traurig.

Viktor: Dann renn weg.

Erst als wir schon fast bei der Straßenbahn sind, merke ich, dass Ida noch den Bambi-Schlafanzug anhat, und ich noch den roten Jogginganzug trage.

Ida: Was bedeutet sein Nachname?

Ich: Wolf.

Sie nickt.

Ida: Der arme Wolf.

TEIL 2

Karotten, Kirschtomaten, Champignons, Äpfel, Vollmilch, Vollmilch, Toppas, Lion Cereal, Vollkorntoast, Reis, Honig, Bonne Maman Rhabarber-Konfitüre, Fruchtzwerge, Joghurt mit der Ecke mit Schokoballs, Paula Schoko-Pudding mit Vanille-Flecken, Magerquark, Crème fraîche, Sahne, Gouda-Käse, Rotkäppchen-Camembert, Wurstwaren, Caprisun Multivitamin, Geo Mini. Ich spiele nicht, sage »48,99 Euro«, schaue hoch und sehe das Gesicht der Mutter. Sie lächelt mich freundlich an. Neben ihr steht ein kleiner Junge mit einer angegessenen Wurstscheibe in der Hand. Wenn der wüsste, was er für ein Glück hat.

Bevor mein Vater gegangen ist, war ich oft mit Mama einkaufen, und die Wurstscheibe, die ich an der Wurstheke bekam, war natürlich der Höhepunkt. Manchmal waren wir nach dem Supermarkt sogar noch beim Metzger in der Altstadt, wo ich von der Verkäuferin einen Doppeldecker bekam – eine Scheibe Lyoner, eine Scheibe Salami, zusammengerollt.

4 Stunden später lege ich die Mirácoli-Variante von Mirácoli-Nudeln, Cini Minis, Dr. Oetker Vanillesoße, Paula Schoko-Pudding mit Vanille-Flecken, Lyoner und Salami auf das Band. »9,27 Euro«, sagt Frau Bach, ich zahle, stopfe die Sachen in meinen Rucksack und renne zum Bahnhof.

Ich weiß nicht genau, was ich empfinde, als ich durchs Fenster der Unibibliothek die Studenten auf der Wiese liegen und sitzen sehe, und würde gern ganz kurz empfinden, was sie empfinden. Auf jeden Fall ist da nicht nur eine Fensterscheibe zwischen uns. Ich muss ein Forschungsvorhaben und eine Gliederung für meine Masterarbeit vorbereiten, die ich in dem Kolloquium vorstellen muss, aber ich habe noch kein konkretes Forschungsvorhaben, nur eine Richtung, in die ich gehen möchte. Ich will die stochastischen Navier-Stokes-Gleichungen untersuchen und habe das Gefühl, dass ich eine gute Idee habe, aber irgendwie komme ich gerade nicht weiter. Es ist alles noch viel zu vage. Meine These muss richtig stark sein, auch wegen Berlin. Nachher entscheide ich mich für Berlin, und dann entscheidet Berlin sich gegen mich. Aber mein Kopf will heute kein Forschungsvorhaben ausarbeiten, solange ich das Wichtigste vor mir herschiebe. Mein Kopf denkt an Ida, die die letzten Tage erschreckend gut drauf ist und das mit Mama seltsam gut weggesteckt hat. Wäre da nicht ihre Backe, die jeden Tag ihre Farben wechselt, würde ich fast vergessen, was passiert ist. Als wir am Donnerstagmorgen in Bambi-Schlafanzug und Nike-Trainingsanzug auf dem Nachhauseweg waren, fragte sie in der Fröhlichstraße: »Haben wir große Müllsäcke?«

Ich: Kommt drauf an. Was hast du vor?

Ida: Ich will mein Zimmer aufräumen.

Und so verschwand sie in unserer Wohnung schnurstracks mit den Säcken in ihrem Zimmer und räumte auf. Ich wusste nichts mit mir anzufangen, ging in die Küche, die so aussah wie am vorherigen Tag, noch immer kein Abendbrottisch, ging ins Wohnzimmer, wo Mama lag und schlief, stand über ihr und betrachtete sie, wie sie da einfach nur lag und schlief. Immer wieder bin ich aufs Neue geschockt, wie friedlich, unschuldig und vor allem kindlich sie aussieht, wenn sie schläft. Einzelne Haare kleben an ihrer verschwitzten Stirn, ihre Wange ist oft auf ihre zusammengefalteten Hände gebettet, manchmal liegt ein angedeutetes Lächeln auf ihren Lippen. Wut setzte meinen Körper in Brand. Ida hatte mir noch immer nicht erzählt, was passiert war. Ich klopfte an Idas Tür, ging rein, setzte mich aufs Bett und schaute ihr ein paar Minuten dabei zu, wie sie die ganzen Schulmaterialien in einen der Säcke warf.

Ich: Ida, was ist eigentlich gestern passiert?

Sie hielt kurz inne, schmiss dann weiter die Hefte in den Sack und sagte sehr leise: »Sie wollte, dass ich Wodka kaufen gehe.«

Fuck. So was in der Art hatte ich erwartet. Ich kann es mir immer noch genau vorstellen, wie Ida den Kopf schüttelt und sagt, dass sie zu jung sei, wie Mama daraufhin wütend wird, weil Ida so leise spricht und so ängstlich ist, und sie auffordert, den Wodka einfach zu klauen, wie Ida daraufhin stumm den Kopf schüttelt und wie Mama dann noch wütender wird. Und dann.

Ich: Soll ich helfen?

Ida: Nein.

Sie schleppte den 1. vollen Sack vor die Tür.

Ida: Geh doch schwimmen.

Ich: Nein, ich bleib heute hier.

Ida: Nein, geh doch. Ich brauch hier noch.

Weil ich wirklich nichts mit mir anzufangen wusste und mich die friedlich schlafende Frau auf dem Sofa so unerträglich wütend machte, ging ich dann doch schwimmen. Als ich die 23. Bahn beendete und kurz am Beckenrand ausschnaufte, stand Viktor auf dem Block; ich nickte ihm zu, er nickte oder zuckte zurück und sprang ins Wasser. Ich kletterte aus dem Becken, zog Hose und Shirt über meinen nassen Bikini, nickte Ursula zu und flüchtete. Als ich nach Hause kam, standen vor Idas Tür 4 gefüllte Müllsäcke, und in der Küche saß Ida am gedeckten Abendbrottisch und bereitete ihr Nutella-toast für die Mikrowelle vor. Ich entschied, ihr das heute nicht zu verbieten wegen dem ganzen Scheiß.

Ich: Ab morgen gibts kein Nutella mehr zum Abendbrot.

Mama kam hinter mir in die Küche, ich drehte mich zu ihr um und sah, wie sie sich am Türrahmen festhielt, als sie Idas Backe entdeckte. Sie hatte vergessen, was sie am vorherigen Tag getan hatte. Langsam ging sie auf Ida zu, wollte ihr über den Kopf streicheln, aber Ida zog ihn weg. »Es tut mir leid, Idamäuschen«, sagte sie mit der Hand in der Luft, Ida schaute konzentriert auf ihr Nutellatoast, das sie mit noch mehr Nutella bestrich, Mama verharrte kurz, drehte sich dann um, trat zum Kühlschrank, öffnete ihn, nahm sich mit der Hand, die eben noch in der Luft gehangen hatte, tatsächlich eine Dose Bier heraus. Während sie uns den Rücken zudrehte und die Küche verließ, nahm ich ein Radieschen, und anstatt es nach ihr zu werfen, zerdrückte ich es in meiner Faust, bis es entzweibrach. »Prost«, rief ich ihr nach.

Seit diesem Donnerstag war der Tisch wieder jeden Abend gedeckt, wenn ich vom Schwimmen kam. Mama aß nicht mit und war entweder im Wohnzimmer oder auf dem Balkon, trank Bier und Wein, lackierte ihre Fußnägel oder schaute Fernsehen. Beim Abendessen redeten Ida und ich meistens über den Film, den wir am Vorabend geschaut hatten. Ida mochte die Protagonistinnen der Filme oft nicht, weil sie immer so »wie Maschinen oder Roboter« wirkten. Snow White bzw. Kirsten Stewart brachte Ida richtig in Rage. »Sie guckt immer so, als ob sie Migräne hat. Sie lacht nie. Und sie ist unlustig.« Ida ist lustig. Wenn ich sie fragte, was sie am Tag gemacht habe, während ich arbeiten und in der Uni war, zuckte sie mit den Schultern, was bedeutete, dass sie gemalt hatte. Sie malte den ganzen Tag lang, abends deckte sie den Tisch, und nach dem Abendessen schauten wir einen Film in meinem Zimmer.

Meinen Plan, Ida zu einer Kämpferin zu erziehen, habe ich abgesehen von den Filmen nicht weiter ausgearbeitet. Berlin habe ich seit dem Vorfall sowieso verdrängt. Aber Berlin hin oder her, so kann das nicht die ganzen Ferien gehen. Auf dem Rand meines Blockes tagge ich Berlin in großen Buchstaben und notiere unter der Überschrift »Ida-Vorhaben« die Stichpunkte Handy (heute), Bibliothek (heute), Regeln? (Kommunikation), neues Hobby (Schwimmclub, Kampfsport?), Schwimmbad bei gutem Wetter? (Sonnenbrille, heute), Ferienbeschäftigung? (Uni, Hallenbad, Wanderung). Ich reiße die Liste aus dem Block, packe meine Sachen zusammen und verlasse die Bibliothek. Am Automaten vor der Cafeteria kaufe ich eine Unibibliothek-Plastiktasche, renne in die Altstadt. Im MediaMarkt kaufe ich ein Smartphone, im H&M eine Sonnenbrille. In der Stadtbibliothek lasse ich eine Bibliothekskarte ausstellen und leihe ein paar Coming-of-Age-Romane aus, die ich damals gern gelesen habe. Mit den Büchern und dem ganzen anderen Zeug in der Uni-Plastiktasche fahre ich zum Schwimmbad, das brechend voll ist. Schulferien und Hitzeperiode – eine gefährliche Kombination. Ich scanne das Becken 3-mal von links nach rechts, obwohl ich schon beim 1. Blick gemerkt habe, dass da heute niemand ist, der das Chaos durchbricht. Viktor ist nicht da. Der 1. Abend, an dem er nicht da ist, seit er hier ist. Vielleicht ist es ihm zu heiß und zu voll. Aber eigentlich hat er auch an den vorherigen heißen Tagen unbeirrt seine Bahnen durch das volle Becken gezogen, wobei die tobenden Kinder und paddelnden Senioren dem Krauler ehrfürchtig ausgewichen sind. Das Kopfnicken geschweige denn der Handgruß sind seit dem Besuch in seinem Zuhause nicht mehr da gewesen. Da war nur noch dieses fast unmerkliche Zucken, wenn sich unsere Blicke trafen. Ich musste ganz genau hinschauen, damit ich es sah. Und das macht mich immer noch so wütend. Es kotzt mich an, dass er so viel weiß, dass er mich in einem so schwachen Moment erlebt hat. Es kotzt mich an, dass er mich in so einem schwachen Moment gesehen hat und mich dann nicht weiter kennenlernen wollte. Am liebsten würde ich ihn eliminieren, wie bei so einem schlechten Mafiafilm, bei dem die Menschen eben sterben, die zu viel wissen. Während ich mir meine Bahnen durch das Becken erkämpfe, frage ich mich, ob Viktor vielleicht abgefahren ist. Ich denke, es wäre okay für mich, wenn er abgefahren wäre, spüre aber ein flaues Gefühl im Magen. Das schwüle Wetter macht mir zu schaffen. Ich verbiete mir den Gedanken an Viktor, der morgen bestimmt wieder hier ist, und denke an die Unibib-Plastiktasche und mein Ida-Vorhaben, das ich gleich präsentieren werde. Nach 23 Bahnen setze ich mich nicht mehr neben Ursula, ziehe mein Kleid über, setze den Rucksack auf, werfe mir die Unibib-Tasche über die Schulter und sage zu Ursula: »Sorry, muss sofort los, hab noch was vor.«

Ursula: Heute gibts ja auch nichts zu sehen.

Ich ignoriere ihr Zwinkern und nicke ihr zum Abschied zu.

Der Abendbrottisch ist schon gedeckt, aber Ida ist nicht in der Küche. Ich klopfe an ihre Tür, 2-mal schnell, kurze Pause, 3-mal langsam, öffne sie und bin ein bisschen nervös, fast wie vor einem Referat. Ida sitzt an ihrem Schreibtisch und dreht ihren Drehstuhl um 180 Grad wie eine Schulrektorin, zu der man zitiert wird, nachdem man Mist gebaut hat, ihre Backe ist heute gelb-braun. Ich bin so froh, dass die Scheiße am letzten Schultag passiert ist und sie damit nicht in die Schule gehen muss. Wenigstens gutes Timing.

Ich stehe vor ihr, drücke ihr die gefüllte Unibibliothek-Plastiktasche in die Hand und setze mich ihr gegenüber aufs Bett.

Ich: Also. Ich weiß, dass die Sommerferien eine schwere Zeit für dich sind, weil du die meiste Zeit zu Hause rumhängst und wir nicht in den Urlaub fahren oder so. Deswegen habe ich heute ein bisschen überlegt und einen Plan gemacht, der dich vielleicht auch für die neue Schule rüstet. Gleich zu Beginn möchte ich sagen, dass das alles Vorschläge sind und du nichts davon machen musst. Folgendermaßen: Du ziehst jeweils eine Sache aus der Tasche, und ich erkläre dir, um was für einen Vorschlag es sich handelt, und dann sagst du, was du davon hältst. In Ordnung?

Ida: In Ordnung.

Ich: Stopp. Noch nichts rausholen. Die Tasche ist auch ein Vorschlag. Vorschlag 1: Du kannst jetzt öfter mal mit in die Uni gehen, wenn du Ferien hast. Es sind Semesterferien, ich muss hauptsächlich lesen und die Masterarbeit schreiben, du kannst dann malen oder lesen.

Ida: Vorschlag angenommen.

Ida zieht die rosafarbene Cateye-Sonnenbrille aus der Tasche, setzt sie auf und sieht zuckersüß aus.

Ich: Vorschlag 2. Es regnet seit über einer Woche nicht mehr, und laut Wetterprognose bleibt die Hitzeperiode noch ein bisschen. Was hältst du davon, die Tage mal wieder mit ins Schwimmbad zu kommen?

Ida: Vorschlag abgelehnt.

Ich: Und wenn wir noch später gehen? Kurz vor Schluss?

Ida: Vorschlag abgelehnt.

Ich: In Ordnung.

Als Ida das Smartphone rauszieht, setzt sie die Sonnenbrille wieder ab, um mich mit aufgerissenen Augen direkt anzuschauen.

Ida: Ein Smartphone?

Ich: Vorschlag 3.1. Wobei, das ist eigentlich kein Vorschlag. Ich will einfach, dass du mich sofort anrufst, wenn irgendwas ist. Und wenn Mama ausrastet und ich mal aus irgendeinem Grund nicht erreichbar bin oder weit weg bin, dann rufst du die Polizei, in Ordnung?

Ida: In Ordnung.

Ich: Vorschlag 3.2. Eigentlich wollte ich dir ein Prepaid-Handy kaufen, aber ich dachte, dass du vielleicht Fotos von deinen Bildern machen und sie auf Tumblr oder so hochladen könntest. Ich finde soziale Medien und so eher kacke, das weißt du, und eigentlich bist du auch noch zu jung dafür, aber Leon meint, dass diese Plattformen heutzutage enorm wichtig sind, wenn man irgendwas mit Kunst macht, weißt du, und vielleicht findest du da Austausch.

Ida: Vorschlag wird geprüft.

Ich lächle sie an.

Ida: Danke, Tilda.

Wir lächeln uns an.

Ida nimmt den Umschlag aus der Tasche, öffnet ihn und zieht die Bibliothekskarte heraus.

Ich: Vorschlag 4. Du kannst nicht die ganzen Sommerferien in deinem Zimmer hocken und malen oder mit mir in die Unibibliothek

gehen. Du brauchst einen 2. Rückzugsort und ein 2. Hobby. Die Stadtbibliothek ist toll, schlecht besucht, hat Sitzecken und Arbeitsplät-
ze. Du magst Geschichten, und du hast durchaus ein ausgeprägtes
Sprachbewusstsein für dein Alter. Ich denke, du solltest mehr lesen.

Ida: Vorschlag angenommen.

Ich: Ich habe dir dazu schon ein paar Romane ausgeliehen, mit denen du anfangen kannst.

Ida: Danke.

Ich: Gerne. Vorschlag 5. Bei jedem Ausflug, den wir zusammen machen, musst du eine Konversation mit einer anderen Person als mir
führen. Und wenn wir Essen bestellen, musst du anrufen.

Ida: Vorschlag abgelehnt?

Ich: Bitte?

Ida nickt.

Ich: Vorschlag 6. Du trittst einem Sportclub bei. Vielleicht dem
Schwimmbadclub?

Ida: Abgelehnt.

Ich liege auf meiner Matratze und schwitze. Kein Wind, noch nicht
einmal ein Lüftchen fällt auf mich. Es ist so heiß. Ich denke an Berlin. Die Stadt hat sich mit der Ausarbeitung des Ida-Plans wieder
in meinem Kopf breitgemacht. Nach der blauen Backe hatte ich mich
eigentlich gegen die Stelle entschieden, aber jetzt toben meine Gedanken erneut. Vielleicht sollte ich Ida und Mama mal von der Aus-
schreibung erzählen und schauen, wie sie reagieren. Ich schließe
meine Augen und öffne sie wieder. Zu heiß. Zu laut.

Eine Stange Mamba, Eistee Pfirsich, Eistee Zitrone, ein Pfandzettel 50 Cent von den beiden Eistees vom Vortag. Ich schaue in das Gesicht von Ida.

Ich: 1,60 Euro. Ich komme gleich.

Sie nickt, gibt mir das Geld wie immer passend und wortlos in die Hand und geht raus.

Draußen sitzt sie auf der Bank vor dem Supermarkt. Die rosafarbene Sonnenbrille im Gesicht, neben sich die Unibibliothek-Tasche, darin ein Zeichenblock, ein Mäppchen, die beiden Eistee, die Stange Mamba und 5 gelbe Mamba-Packungen, die von den letzten Tagen übrig geblieben sind, weil wir Zitrone nicht mögen. Auf ihrem Schoß ein Buch. Ich bleibe stehen, und der Anblick, wie sich die rosafarbene Sonnenbrille mit den Zeilen mitbewegt und sie eine Seite nach der anderen umschlägt, macht mich glücklich. Ich wusste, dass Lesen ein guter Vorschlag sein würde. Lesen hat mir damals viel gegeben und gibt mir immer noch viel. Heute versuche ich, so viel Zeit wie möglich mit Mathe zu verbringen, weil das ein Ort ist, an dem ich zu Hause bin, aber ab und zu schafft es auch ein Roman in meine Hände. Mit *Tintenherz* ging es los, als ich gerade in die 5. Klasse gekommen war. Dass Meggie durch lautes Vorlesen Gegenstände und Menschen aus Büchern herauslesen konnte und sich im 2. Teil dann sogar in eine fremde Welt hineinliest, hat mich umgehauen. Wenn ich allein in meinem Zimmer war, habe ich immer wieder versucht, mich in eine andere Welt hineinzulesen, es hat aber nie funktioniert. Meistens lieh ich mir in der Stadtbibliothek Jugendbücher aus, aber oft schlug ich auch Bücher aus unserem Bücherregal zu Hause auf, und wenn mich die erste Seite neugierig machte, dann las ich weiter. Darunter viel Mittelalterkram von meinem Vater, den er nicht mitgenommen hatte, und Mamas Auswahl an Austen- und Brontë-Romanen. Die Gewissheit, dass ich vieles verlieren kann, einen Vater, eine Mutter, eine normale Kindheit, dass nichts sicher und beständig ist, dass aber Bücher trotz allem bleiben, dass mir niemand diese Geschichten, diese Welten wegnehmen kann, in die ich zu flüchten vermag, beruhigte mich und machte mich unverwundbar. Ich wusste: Egal, wie viel Scheiße da noch auf mich zukommt, dieses bisschen Glück kann mir niemand nehmen. Und Ida weiß das jetzt, glaube ich, auch. Das sehe ich in ihrem Gesicht, in dem sich so viel widerspiegelt, während sie liest, oder darin, wie sie die Seite knickt, bevor sie das Buch schließt, wie ihr Blick dann ins Leere geht und wie sie ein bisschen braucht, bis sie wieder ganz da ist.

Fast täglich begleitet sie mich in die Unibib, und während ich meine Masterarbeit und die These vorbereite, ist sie in irgendeinen Roman vertieft. Die Bibliothek ist ziemlich leer, weil die meisten Studenten nach der Klausurphase am See, im Schwimmbad oder auf Reisen sind und ihre Haus- und Abschlussarbeiten nicht während dieser Hitzewelle schreiben wollen. Ida und ich reden nicht. Wenn die Wanduhr 6 Uhr zeigt, packt Ida ihr Buch in die Plastiktasche, steht auf und schaut mich erwartungsvoll an, ich packe meine Bücher, Block und Bleistift in meinen Rucksack, und wir gehen. »Kommst du voran?«, fragt sie mich meistens auf dem Weg zur Haltestelle. Ich nicke oder schüttle den Kopf. Ich lese in letzter Zeit vor allem in vielen Büchern und Papern rum und versuche, das Phänomen des Blowups der Navier-Stokes-Gleichungen zu verstehen. »Magst du den Roman?«, frage ich sie danach, und sie nickt meistens.
Im Bus packen wir beide wieder unsere Bücher aus. Der Moment, in dem ich beim Schwimmbad aussteige und sie sitzen bleibt, tut jedes Mal ein bisschen weh.
Ich: Bis nachher.
Ida: Bis nachher.

Viktor ist wieder nicht da. Das ist jetzt der 9. Tag in Folge. Langsam werde ich unruhig. Er kann doch nicht einfach gehen, ohne Tschüss zu sagen. Wir waren zwar keine Freunde oder so, aber zumindest haben wir uns gegrüßt, haben eine normale Unterhaltung geführt, und Ida und ich haben ihn sogar zu Hause besucht. Der Besuch war vielleicht mehr oder weniger unfreiwillig und ist auch nicht so toll gelaufen, aber er kann doch nicht einfach gehen, ohne Tschüss zu sagen. Dass er jeden Abend hier war und dann auf einmal nicht mehr hier ist, ist nicht cool. Werde ich ihn jetzt nie wiedersehen? War das sein kurzer Besuch in der alten Heimat? Hat er das traurige Haus verkauft? Ist mir sowieso egal. Voll egal. Ich will einfach nur, dass diese Hitze aufhört.

Ich: Ich will einfach nur, dass diese Hitze aufhört.

Ursula: Ich sags dir, Tilda: Ich bin die Nächste, die wegen einem Hitzekollaps hier abgeholt wird.

Fast jeden 3. Abend kommt der Notarzt, meistens weil irgendjemand einen Hitzekollaps hat oder ein durchdrehendes Kind sich und/oder ein anderes Kind verletzt. Gestern ist ein kleiner Junge von der 3 Meter hohen Rutscheleiter in das Fußbecken heruntergefallen. Von dem Geräusch habe ich mich immer noch nicht erholt. So dumpf. Der Schrei der Mutter. Ursula und ich haben auf unserer Bank gesessen und zugeschaut, wie das Geschehen im Becken abrupt gefror, die Schwimmer und Planscher haben sich an den Beckenrand geklammert, den Blick auf die Rutsche gerichtet, bis der Notarzt den Jungen mitgenommen hat.

Ursula besprüht uns mit kaltem Wasser.

Ursula: Hoffentlich ist dem Jungen nichts Schlimmes passiert.

Ich: Dem gehts gut. Nur ein Beinbruch.

Ursula: Wirklich? Woher weißt du das?

Ich: Ich habe gestern Abend im Krankenhaus angerufen.

Ursula: Sehr gut, dann können wir ja weiterspielen.

Ursula: Was tippst du?

Alle sind noch geschockt wegen des Jungen gestern und drehen nur verhalten durch.

Ich: In 3 Tagen, klassischer Hitzekollaps. Du?

Ursula: Ich tippe morgen, Schlägerei.

Ich: Schlägerei war noch gar nicht dabei.

Ursula: Die Leute sind gereizt. Ich habe noch nie eine Schlägerei live gesehen.

Ich: Ich schon.

Ich: Wobei, das war eigentlich keine Schlägerei. Eher ein K.-o.-Sieg. Mit dem 1. und einzigen Schlag von Ivan direkt ins Gesicht von Max aka Justus lag Letzterer bewusstlos auf dem Boden. Natürlich auch in dem klebrigen Sommer vor 5 Jahren. An einem heißen Juliabend feierte Kilian auf dem Grundstück Geburtstag, und der Abend stand von Anfang an unter einem schlechten Stern, zumindest ab Ivans Bemerkung mit dem dämlichen Alexandrit. Ich hatte mich eigentlich auf den Abend gefreut, weil Leon übers Wochenende aus Berlin in die Heimat kam und es eine gefühlte Ewigkeit her war, seit er das letzte Mal »Bis zum nächsten Mal« gesagt hatte. Marlene, Ivan, ich und ein paar austauschbare Figuren saßen wie so oft im Kreis auf dem Boden, mehrere Joints gingen rum, wir tranken Wein, und ich strahlte den strahlenden, direkt auf mich zukommenden Leon, der mir einen Kuss auf die Wange gab, an. Als Leon und Marlene zu Kilian gingen, sagte Ivan einfach so wie aus dem Nichts zu mir: »Der ist nichts für dich.«

Ich: Wieso?

Ivan: Keine Ahnung. Zu glatt. Zu fröhlich.

Ich: Was für eine doofe Aussage. Passt zu mir nur jemand Trauriges oder wie? Außerdem sind wir kein Paar.

Ivan: Nicht unbedingt jemand Trauriges, aber jemand mit mehr Tiefe.

Ivan: Er sieht dich nicht. Das ist, wie wenn ein Laie einen Alexandrit findet und ihn für einen Smaragd hält, ohne zu wissen, dass es ein Alexandrit ist, der sich bei Kerzenlicht und künstlichem Licht in einen Rubin verwandeln kann.

Ich: Ivan, was redest du da? Und was zur Hölle ist ein Alexandrit?

Ivan: Einer der seltensten und wertvollsten Edelsteine der Welt, der seine Farbe wechseln kann.

Ich schwieg dann, weil ich überfordert war und nicht wusste, ob er sich gerade über mich lustig machte oder mich gerade mit einem der seltensten und wertvollsten Edelsteine verglichen hatte. So was Schönes hatte noch nie jemand zu mir gesagt. Trotzdem war die Stimmung danach irgendwie dahin, weil ich Leon jetzt irgendwie anders sah und mich von Ivan beobachtet fühlte. Und dann kam auch noch Max. Max ist ein schnöseliges, unangenehmes, klugscheißendes Arschloch.

Er war damals in unserer Stufe, und im vierstündigen Geschichtskurs gerieten Max und ich bei Diskussionen über den Kalten Krieg ständig aneinander. Herr Schulz meinte oft, dass wir beide den Kalten Krieg quasi auf einer Metaebene in unserem Kurs austrugen, dabei war ich eigentlich für keine Seite, nur gegen Max. Und der war natürlich für die Imperialisten. Nachdem Max von seinen Eltern – Vater Anwalt, Mutter keine Ahnung – zum 17. einen weißen BMW und zum Abi eine Altbauwohnung mitten in der Stadt bekommen hatte und dann mit Jura anfing, benannte ich ihn in Justus um. Er ist einfach ein Justus. Und als Marlene bei irgendeiner Party auf der Tanzfläche mit ihm rumknutschte, ging ich dazwischen. Im Nachhinein ein bisschen übergriffig. In einem weiteren Schritt weigerte ich mich, mit ihr abzuhängen, wenn sie sich weiterhin mit ihm traf. Weitere Schritte musste ich gar nicht einleiten, weil dann kam Ivan, und Marlene verliebte sich in ihn und vergaß Justus, verknallte sich wieder in einen neuen Typ. Justus fand das abrupte Ende ziemlich doof. Ich schaue auf die durchdrehenden Kinder im und am Becken, spüre die warme, schwer auf meiner Haut liegende Luft, denke an die Gesichter von Viktor und Ivan, und der Abend kommt mir irgendwie so präsent und wichtig vor. Als hätte sich Justus in diesem Sommer und nicht in dem klebrigen Sommer vor 5 Jahren zu uns in den Kreis gesetzt.

Ich schließe die Augen und setze Marlene, Ivan, ein paar unwichtige Nebenfiguren und Justus um mich herum. Letzterer mustert immer wieder die an Ivan lehnende Marlene. Als Ivan einer austauschbaren Figur ein Tütchen gibt, eskaliert es.

Justus: Wieso dealst du eigentlich immer noch? Ihr seid doch jetzt aus dem Russengetto raus dank der cyberkriminellen Handlungen deines Bruders.

Ivan lächelt ihn einfach nur an. Er bleibt immer ruhig. Wir sind da sehr unterschiedlich.

Justus: Die Kriminalität liegt euch wahrscheinlich einfach im Blut, oder?

Ich: Verpiss dich mit Papis BMW in Papis Altbauwohnung, lieber Justus.

Er funkelt mich an.

Justus: Wie süß, die sozialen Minderheiten halten zusammen.

Er nickt zu der Weinflasche in meiner Hand.

Justus: Ich dachte immer, Kinder von Alkoholikern trinken aus Angst, so zu werden wie ihre Eltern, keinen Alkohol?

Ich: Da hat der Papi dir was falsch erklärt. Kinder von Alkoholikern werden meistens noch schlimmere Alkoholiker. Und wenn sie trinken, schlagen sie noch fester zu als ihre Eltern. Also Achtung, lieber Justus.

Leon: Tilda.

Dieses mahnende »Tilda« von Leon. Ich könnte kotzen. Im selben Moment steht Ivan auf wie ein leichtfüßiger Puma, macht 3 große Schritte und schlägt Justus mit der Faust K.-o.

Ursula: Mit Notarzteinsatz?

Ich nicke.

Ida hat heute das 1. Mal versucht, für unseren Abendbrottisch Radieschenröschen zu schnitzen, sie sehen aus wie überfahrene Radieschen.

Ich: Den Radieschen hast du's aber gezeigt.

Ida lacht.

Ida: Ist er wieder da?

Ich schüttle den Kopf.

Ich: Ich glaube, dass er zurück nach Hamburg ist oder dahin, wo auch immer er hergekommen ist. Wir werden ihn vermutlich nie wiedersehen.

Wütend halbiere ich das überfahrene Radieschen, das aussieht wie ein kleines, verkrüppeltes Herz.

Ida schüttelt den Kopf.

Ida: Nein, das glaube ich nicht.

Ich: Wieso glaubst du das nicht?

Ida: Er würde Tschüss sagen. Er ist anständig.

Ich: Nicht so unanständig wie unsere Väter.

Ida schaut mich böse an. Wir reden eigentlich nie über unsere Väter.

Vor allem über ihren Vater reden wir nicht, denn den gibts gar nicht. Ida hat ihn nie gesehen, und wir wissen eigentlich nichts über ihn. »Ich bin schwanger. Im 5. Monat. Zu spät für eine Abtreibung.« Diese Wörter übergab Mama mir eines Abends einfach so recht emotionslos; ich wusste nichts damit anzufangen und fragte mich, wie oft sie schon abgetrieben hatte und wie schlecht das Trinken für das Kind in ihrem Bauch war. »Du darfst nicht mehr trinken«, sagte ich, sie nickte, »von wem?«, fragte ich, »von einem Arschloch«. Ich rechnete nach und hatte eine Ahnung, welcher Mann das Arschloch war, aber das war eh egal. Dass er ein Arschloch ist, ist also das Einzige, was Ida und ich von ihrem Vater wissen, und das reicht ja auch.

Ich: Anständig, was ist das überhaupt für ein Wort? Du redest viel zu erwachsen für dein Alter. Wie eine Oma.

Ich stopfe mir noch ein überfahrenes Radieschen in den Mund, das mindestens genauso bitter schmeckt wie das vorherige.

Ida zuckt mit den Schultern.

Es klingelt. Mama. Wieso klingelt sie immer, bevor sie aufschließt? 19:25 Uhr.

Eigentlich kommt sie immer um circa 19:00 Uhr. Sie hat uns die letzten Tage fast jeden Abend kurz Gesellschaft geleistet, wenn sie von der Arbeit im Café kam, die sie nach ihrem einwöchigen Magen-Darm-Infekt wieder aufgenommen hat. Die wollten zum Glück kein Attest, als ich angerufen und ihnen beschrieben hab, wie es ihr gerade aus allen Körperöffnungen rausschießt. Wenn sie sich zu uns setzt, halten wir beinahe die Luft an, weil sie schrecklich ist, seit sie wieder arbeitet. Sie stellt uns zu viele Fragen direkt hintereinander: »Na, wie gehts?«, »Na, wie war euer Tag?«, »Na, was habt ihr gemacht?«, zum Glück kein lang gezogenes Na, wobei sie die Antworten nicht interessieren; sie isst ein Brot, und wenn sie dann sagt »Ich geh noch ein bisschen auf den Balkon, die Abendsonne genießen«, atmen wir erleichtert aus und entspannen wieder. Mich wundert es, dass es diesmal noch nicht 1-mal Spiegeleier gab, die Reuephase wurde übersprungen, und sie hat sofort den »Ab jetzt bin ich wieder kacke«-Schalter umgelegt. Aber Hauptsache, Ida gehts gut.

Mama: Naaaa, wo sind meine Mäuschen?

Wir schauen zur Tür, Ida versteift und hält die Luft an. Sie hat es auch gehört: Mama hat getrunken, und zwar nicht wenig. Zuvor hat sie immer erst nach der Arbeit und nachdem sie bei uns gesessen hat, auf dem Balkon oder auf dem Sofa richtig mit dem Trinken angefangen. Ich schlucke, als ich sie grinsend in ihrem kurzen roten Kleid auf wackligen Beinen im Türrahmen stehen sehe. Natürlich wusste ich, dass es nur eine Frage der Zeit sein würde, bis es wieder eskaliert. Wenn sie so drauf ist wie die letzten Tage, ist sie eine tickende Zeitbombe. Aber heute tickt sie ganz laut. Ich beobachte sie, während sie sich zu uns setzt, ihre glasigen, geschminkten Augen, ihre geröteten Wangen, ihre verschwitzten Haare.

Tick, Tack.

Sie ist von allem zu viel. Zu nett, zu aufgedreht, zu laut. Sie hat zu viel Schminke im Gesicht, zu viel Parfüm auf der Haut. Sie stellt zu viele Fragen, deren Antworten sie nicht hören will. Außerdem ist es hier viel zu heiß. Es ist einfach alles zu viel. Die Masterthese, die noch nicht richtig da ist, meine zuckenden Augen, Viktor, der nicht da ist, wobei mir egal ist, dass er nicht da ist, ich finde es nur unverschämt, dass er einfach gegangen ist, ohne ein Wort. Ida, die hier sitzt und verstummt vor Angst wegen diesem Monster, das hier sitzt und lacht und fragt, wie es bei Ida in der Schule war.

Tick, Tack, Tick, Tack.

Ich: Ida hat seit fast 3 Wochen Sommerferien.

Wir haben es ihr die letzten Wochen schon mehrmals gesagt, dass Ida Ferien hat.

Monster: Ach, wie schön. Und was machst du so in den Ferien?

Ich stehe auf, Ida tut es mir gleich und nimmt meine Hand.

Ich: Ida macht das, was Kinder halt so machen in den Sommerferien: in den Urlaub fahren, Großeltern besuchen, ins Freibad gehen, sich mit Freunden treffen. Aber in erster Linie Angst haben vor der Mutter, die ein Monster ist.

Jetzt wird das Monster wütend. Das sehe ich, weil das Monster wegen des vielen Alkohols in seinem Blut sehr langsam versteht und ich seinen Gesichtszügen beim Wütendwerden zusehen kann. Es wird laut.

Monster: Tilda, du bist das Monster!

Tick, Tack, Tick, Tack, Tick, Tack.

Ich lache.

Monster: Lach nicht, du blöde Ziege. Ich mache so viel für euch undankbare Scheißkinder.

Sie hickst.

Monster: Jeden Tag arbeiten.

Sie hickst.

Monster: Ich bin eine gute Mutter. Du blöde Ziege.

Sie hickst.

Monster: Jeden Abend setze ich mich …

Sie hickst.

Monster: … zu euch.

Monster: So viel arbeiten.

Tick, Tack, Tick, Tack, Tick, Tack, Tick, Tack.

Ich lache laut auf, auch wenn ich angesichts dieses Hicks-Lall-Ausrasters lieber heulen oder schreien möchte, drehe mich um und ziehe Ida hinter mir her, die ich nicht hinter mir herziehen muss, weil sie auch wegmöchte.

»Ich hasse euch!«, brüllt das Monster uns nach, irgendwas fällt zu Boden, und ich sage: »Morgen machen wir eine Wanderung.«

Ich: Wir packen uns einen Rucksack mit Mineralwasser, Müsliriegeln, Sonnencreme und einer Wanderkarte, laufen zu der Gartenwirtschaft, essen Kochkäseschnitzel mit einem gemischten Salat und einer großen Cola, teilen uns danach vielleicht noch ein Stück Apfelkuchen zum Nachtisch und wandern wieder zurück. Wie eine Streberfamilie oder ein agiles Seniorenpaar, was meinst du?

Ida: Vorschlag angenommen.

Früher, nachdem mein Vater uns verlassen hatte und bevor Ida da war, war ich nicht nur jeden Tag nach der Schule bei Marlene, sondern darüber hinaus im Frühling, Sommer und Herbst fast jedes 2. Wochenende mit Marlenes Familie wandern. Es war schön, aber auch traurig. Teilzuhaben an einer intakten Familie, von der man eigentlich kein Teil ist, war manchmal schmerzhaft. Aber wenn Marlenes Vater Markus Leon, Marlene und mir hinterherrannte, weil wir ihm Hagebutten in den Nacken geworfen hatten, oder wenn dieses riesengroße Schnitzel mit dem Berg Kochkäse dann schließlich vor mir lag, war ich einfach glücklich. Markus und Lisa hielten fast immer Händchen, was mich schon als Kind irritierte. Ich musste immer wieder hinschauen, um mich zu vergewissern, dass sie sich noch immer an den Händen hielten.

Irgendwie fühlt es sich komisch an aufzustehen und zu begreifen, dass heute nach all den Jahren mal wieder gewandert wird, aber als Ida und ich dann nebeneinander schwitzend den Berg hochtraben, fühlt es sich gut an. Viel besser als damals mit Marlenes intakter Familie, weil wir beide jeweils ein fester Teil, die Hälfte von einem Ganzen sind. Wir sind eine Familie. Wir sind ein intakter Organismus, wir funktionieren zusammen. Gestört werden wir nur durch den letzten Teil unserer Familie. Also eigentlich sind wir eine überwiegend intakte Familie. Zu 66,67 Prozent. Wir sind intakte Schwestern. Zu 100 Prozent.

Ida: Denkst du, dass sie irgendwann gesund wird?

Ich entscheide mich gegen eine Lüge und sage: »Nein.«

Sie nickt.

Ida: Ich auch nicht.

Ich: Und ich denke, dass wir akzeptieren müssen, dass wir ihr nicht helfen können.

Ida nickt.

Ich lege mir noch mal die Worte zurecht, die ich seit Tagen im Kopf habe, und beginne.

Ich: Ida, du darfst keine Angst mehr haben. Ich halte die Sorgen, die ich mir um dich mache, einfach nicht mehr aus. Du bist stark und klug. Sag endlich, was du denkst. Zu Mama, aber auch da draußen.

Ida schaut auf den Boden.

Ich: Du darfst dich von ihr nicht kaputtmachen lassen. Sag, was du denkst, und mach, was du willst. Du brauchst keine Angst haben vor den anderen Menschen. Du bist entwaffnend. Lass es einfach raus. Sprich in der neuen Schule die Mitschüler an, die du cool findest, schreie die an und schlag von mir aus auch die, die dich ärgern. Wenn Ursula ein schönes Kleid trägt, sag ihr, dass sie ein schönes Kleid trägt, wenn du dir ein Eis kaufst, frag, ob du 3 Kugeln für den Preis von 2 bekommst.

Jetzt schaut sie nicht mehr den Boden, sondern mich an, mit großen Augen.

Ich: Und geh morgen zum Schwimmtraining.

Ida schweigt. 4 Minuten lang. War das vielleicht doch zu hart und zu viel auf 1-mal? Ich muss es ihr sagen. Jetzt.

Ich: Professor Klein möchte mich für eine Promotionsstelle in Berlin empfehlen.

Ida: Das heißt?

Ich: Das heißt, dass ich mich da vielleicht bewerbe.

Ich: Wenn das für dich okay ist.

Ida: Wann?

Ich: Nächstes Jahr beginnt die Stelle.

Ida schweigt. 125 Sekunden.

Ida: Promotion heißt doch, dass du ein Dr. vor deinen Namen bekommst, oder?

Ich: Ja.

Ida: Ich wusste nicht, dass du so schlau bist.

Ich zucke mit den Schultern.

Ich: Ich mag Mathe.

Ida: Ich mag Mathe nicht.

Ich: Okay.

Ich: Das heißt, ich soll mich da nicht bewerben?

47 Sekunden.

Ida: Bist du blöd? Du musst.

83 Sekunden.

Ida: Dr. Tilda Schmitt. Klingt komisch.

Ida kichert, ich versuche, einen riesengroßen Kloß hinunterzuschlucken, und kämpfe gegen die brennenden Tränen.

Idas kleine Hand nimmt meine Hand, händchenhaltend und schweigend erklimmen wir den letzten Berg vor der Gartenwirtschaft. Wir sind schnell und überholen 3 Abendbrottisch-Familien und 4 agile Seniorenpaare. Ich bin traurig und glücklich und weiß nicht, ob ich mehr traurig als glücklich oder mehr glücklich als traurig bin. Aber das kann ich auch nicht wissen, weil die beiden Gefühle sich in einem schönen, schmerzhaften und hochprozentigen Cocktail mischen und meinen ganzen Körper ausfüllen.

Wortlos suchen wir uns einen Platz in der Gartenwirtschaft und lesen schweigend die Speisekarte. Es gibt eigentlich nur wenige Gerichte, Schnitzel Natur, Schnitzel mit Kochkäse, Schnitzel mit Jägersoße, als Beilagen gemischter Salat oder Bratkartoffeln, aber wir lesen die 3-seitige Karte wie einen Roman.

Ida: Vorschlag angenommen.

Ich schaue Ida an, die immer noch in die Speisekarte vertieft ist.

Ich: Welcher?

Ida: Ich gehe am Montag zum Schwimmtraining.

Und das Schauspiel, das sich dann vor meinen Augen im Hof der Gastwirtschaft abspielt, werde ich nie vergessen. Ida, selbstverständlich mit rosafarbener Cateye-Sonnenbrille im Gesicht, hebt die Hand und den Zeigefinger, schaut zu der Kellnerin, die kommt, und sagt laut und deutlich: »Wir hätten gerne 2 Kochkäseschnitzel und 2 große Cola.«

Kellnerin: Mit Salat?

Ida: Mit Salat.

1 Flasche Fürst Uranov. 2 Flaschen Blanchet Roséwein. 1 Flasche Rotkäppchen. Neuer Rekord. Mama trinkt Tag für Tag mehr. Den »Klaras Bücherstube«-Jutebeutel mit den Glasflaschen muss ich inzwischen alle 2 Tage mitnehmen und leeren. In besseren Zeiten war es 1-mal die Woche. In noch besseren Zeiten entsorgte sie den Glasmüll selbst, als der ganze Scheiß mit dem Trinken erst anfing. Und in den besten Zeiten, als sie merkte, dass sie schwanger mit Ida war, und bis sie abgestillt hatte, waren gar keine Flaschen im Beutel.

Als ich 13 Jahre alt war, gab sie mir zum 1. Mal den gefüllten »Klaras Bücherstube«-Jutebeutel, den ich doch vor der Schule schnell entleeren könne. Dabei waren die Glasmülltonnen gar nicht auf dem Schulweg. Bereits vor der Beutelübergabe bemerkte ich, dass sie vor allem abends oft anders war, albern, aufgedreht und irgendwie aggressiv, aber dass sie trank, realisierte ich erst, als meine Klassenkameraden und ich auf der Eisbahn anfingen, Alkohol auszuprobieren. Ich weiß noch, wie ich Marlene sah, mit der Flasche Doppelkorn in der Hand, lachend mit leuchtenden Augen, irgendwie dümmlich, und begriff. Kurz danach wurde Mamas Trinken und »Klaras Bücherstube«-Jutebeutel, der neben meinem Sportbeutel hing, zu einem festen Bestandteil meines Lebens. Wie erleichtert ich war, wenn der Bücherstube-Beutel noch nicht so voll war, und wie genervt ich war, wenn ich sowohl Sport- als auch Bücherstube-Beutel mitnehmen musste. Lustig, dass es immer noch »Klaras Bücherstube«-Beutel ist, und beeindruckend, dass er immer noch heil ist, obwohl er jetzt über ein Jahrzehnt so viel Glas tragen musste. Vielleicht sollte ich die Tradition brechen und bald einen größeren Sack in die Küche hängen, je nachdem, wie lange Mama noch durchhält.

Der Glascontainer ist ein lustiger Ort. Ungefähr genauso lustig wie der robuste Bücherstube-Beutel. Wie die üblichen Verdächtigen mit ihren Autos neben den Tonnen halten, bei laufendem Motor aus dem Auto springen und schnell die Beweise entsorgen. Blickkontakt wird strengstens vermieden, Begrüßungen werden unterlassen. Es ist ein anonymer Ort, an dem man niemanden kennt, auch nicht die Nachbarin oder den ehemaligen Geografie-Lehrer. Ich stopfe den Bücherstube-Beutel in meinen Rucksack, und es tobt wieder in meinem Kopf. Kann ich Ida mit diesem Beutel, den Flaschen und Mama allein lassen?

Mama kommt in die Küche, während ich am Esstisch in *Stochastic Equations in Infinite Dimensions* von Da Prato und Zabczyk blättere. Sie hat heute frei. Ich bin nervös. 18:30 Uhr, jetzt geht das Training los. Ich wollte Ida eigentlich zur Schwimmhalle bringen, aber Ida wollte allein hinlaufen. »Wenn, dann richtig«, meinte sie. 18:31 zeigt die Uhr an der Wand an. Ich hoffe so sehr, dass Ida teilnimmt, aber irgendwie habe ich ein schlechtes Gefühl. Mama setzt sich an den Tisch, und ich überlege, wie ich das mit Berlin am besten anspreche. Ich habe mich noch nicht entschieden, aber ich möchte schon einmal alle Weichen stellen. Wahrscheinlich ist es Mama sowieso egal. Ich klappe mein Buch zu und lege mir die Worte zurecht. Sie blättert in dem Kaufland-Prospekt, und während sie die Seiten viel zu schnell umblättert, um irgendein attraktives Sonderangebot zu erspähen, sagt sie: »Ich habe jemanden kennengelernt.«

Ich schlucke, ich habe mit so was in der Art schon gerechnet. Die steigende Anzahl von Flaschen, die viel zu gute Laune, das Aufgedrehte, die Schminke, das Parfüm, das alles. Wir wissen beide, wohin das führt.

Ich: Wo?

Mama: Im Café bei der Arbeit.

Männer sind ein rotes, ein dunkelrotes Tuch.

Mama: Diesmal ist es anders, Tilda.

Ich: 8.

Mama: Ach, Tilda.

Ich: Ach, Mama. Es reicht. Wir wissen doch beide, wie das ausgeht. Alles toll und wunderbar, weil, diesmal ist es anders. Dann geht er, dann Zusammenbruch, dann Antidepressiva, und Ida und ich müssen den ganzen Scheiß ausbaden.

Mama: Das ist nicht fair.

Ich: Ja, Mama, das ist nicht fair.

Ich stehe auf, verlasse die Küche, ziehe meine Laufschuhe an und renne los.

Die Wut zerreißt mich, wenn ich sie nicht rauslasse. Also renne ich. Ich renne, so schnell ich kann. Obwohl ich überhaupt keine Energie intus habe, sprinte ich die Fröhlichstraße hinauf zum Waldeingang. Ich bemerke die Energielosigkeit nicht mehr. Da ist nur Wut. Tränen und Schweiß brennen in den Augen. In dem Moment, in dem mich das Grün des Waldwegs voll umfängt, spüre ich, wie ein wenig von der schweren Wut von mir ablässt. Ich sprinte den Waldweg hoch. Ein entgegenkommender Mann zeigt mir grinsend Daumen hoch, ich zeige ihm meinen Mittelfinger. Meine Lungen brennen. Meine Oberschenkel brennen. Ich sehe mein Ziel: die Lichtung. Endspurt. Oben angekommen breite ich die Arme aus, schließe die Augen und drehe mich im Kreis. Und dann lasse ich sie raus. Die Wut. Ich schreie sie raus. Ich schreie sie raus, diese Scheißwut raus aus diesem Scheißkörper, auf diese verfickte Kleinstadt mit ihren verfickten Kleinbürgern. Auf Mama, die trinkt und sich verliebt, anstatt eine Mutter zu sein und PAULA Schoko-Pudding mit Vanille-Flecken zu kaufen. Auf Ida, die einfach mal ihren Scheißmund aufreißen muss und die ich nicht allein in dieser Scheißkleinstadt bei Mama lassen kann. Auf Viktor, der einfach abhaut ohne ein Wort. Die Wut auf alles. Und vor allem auf diesen Wald, der einfach viel zu schön ist und viel zu gut riecht. Ich renne aus dem Wald raus, die Fröhlichstraße entlang, an unserem traurigen Haus vorbei, in das Neubaugebiet, in dem glückliche Familien wohnen, ich renne zu dem Haus, in dem keine glückliche Familie wohnt, in dem kein Licht brennt und vor dem keine schwarze G-Klasse steht. Ich klingle

1-mal kurz, dann 2 Minuten Sturm und breche auf der Eingangstreppe zusammen.

Ida sitzt auf der Mauer neben unserer Haustür, als ich eine Stunde später angetrabt komme. Ich setze mich neben sie.
Ich: Du warst nicht beim Training, oder?
Sie schüttelt den Kopf.
Ida: Und was ist mit dir los?
Ich schüttle den Kopf.
Ich: Alles gut.
Ida: Alles wird gut.
Sie lehnt den Kopf an meine Schulter.

Ein Glas Meica Mini Wini Würstchenkette. Sonst nichts. Nur das mit Würstchenketten gefüllte Glas. Ich weiß noch genau, wie ich als Kind die Werbung gesehen habe und mir nichts Wundervolleres vorstellen konnte, als auch so ein eigenes Glas Meica Mini Wini vor mich gestellt zu bekommen wie die Kinder in der Werbung. Jedes Kind ein Glas. Den Tag, an dem ich die Meica Mini Wini Würstchen dann das 1. und einzige Mal gegessen habe, habe ich auch noch vor Augen. Es war in Marlenes Garten bei ihrer 7. Geburtstagsfeier, und ich habe so viele Würstchen gegessen, bis ich nicht mehr sitzen konnte. Lustig, dass es den Scheiß noch gibt. Ich habe heute noch nichts derart Unzeitgemäßes auf dem Kassenband gesehen, vergesse zu raten, sage »3,99 Euro« und schaue hoch in das Gesicht vom Mathecrack Ferdinand aus dem Masterkolloquium und sage »Hi«.

Ferdinand nickt und packt das Glas in seinen Rucksack. Ferdinand redet kaum, und wenn er redet, dann benutzt er die minimale Anzahl an Wörtern. Sympathisch.

Ferdinand: Bereit für Freitag?

Am Freitag findet das Blockseminar statt, in dem wir alle die Thesen und Gliederungen unserer Masterarbeiten vorstellen.

Ich: Fast. Du?

Ferdinand: Fast. Danach High Five?

Ich schaue ihn fragend an, will ihn allerdings nicht vor den Kopf stoßen, wenn er mal mit mir redet, auch wenn ich die Frage für unser Verhältnis als fast ein bisschen übergriffig empfinde.

Ich: Okay, wenn du magst?

Er schaut emotionslos in mein verdutztes Gesicht.

Ferdinand: High Five ist eine neue Bar. Alle gehen hin.

Ich lache. Er lacht nicht.

Ich: Ach so. Okay.

Ferdinand: Okay. Tschüss.

»Für Riesenspaß beim Mittagessen. Mini Wini nicht vergessen«, rufe ich ihm nach. Er reagiert natürlich nicht.

Ida bleibt im Bus sitzen, als ich kurz vor der Schwimmbad-Haltestelle aufstehe. Ohne das Schwimmen am Abend würde ich diese heißen Tage nicht überstehen. Wenn morgens der Wecker klingelt und ich die Hitze des Tages schon rieche, denke ich an den Moment, wenn ich abends ins kalte Wasser springe, und stehe dann auf. Jeden Tag versuche ich, Ida umzustimmen, aber keine Chance.

Ich: Sicher? Der Parkplatz ist gar nicht so voll wie gestern.

Ida, die anscheinend in ihren Roman vertieft ist, schüttelt den Kopf. Ich steige aus, atme den Chlorgeruch ein, als ich verschwitzt und ausgelaugt den Eingang durchschreite, schmeiße meinen Rucksack auf die Bank neben Ursulas bunten Korb, ziehe das Kleid über meinen Kopf, springe kopfüber ins Wasser und schwimme das erste Mal wieder meine 22 statt 23 Bahnen. Danach tauche ich im tiefen Bereich bis zum Grund, setze mich auf den Boden und schaue mir das Geschehen im Becken von unten an. Heute überwiegend unkoordiniert zappelnde Kinderbeine, wenige mehr oder weniger koordiniert zappelnde Seniorenbeine, tauchende Kinderkörper, viele gemischte Beine am Beckenrand. Sieht wie meistens bei heißem Badewetter nach ungemein viel Spaß aus. Da schießt eine Rakete ins Wasser. Ein Körper. Ich muss grinsen, stoße mich schwungvoll vom Boden ab und setze mich dann neben Ursula. Er ist wieder da. Am 15. Tag ist er zurückgekommen.

Ich: Ich glaube, ich habe endlich das Thema meiner Masterarbeit.

Ursula: Und das wäre?

Ich: A-priori-Schranken für die stochastischen Navier-Stokes-Gleichungen.

Es dauert mindestens 1 Minute, bis sie reagiert.

Ursula: Als ich damals meiner Oma erzählt habe, dass ich meine Tochter Emma nennen will, meinte sie »Hauptsache, gesund«.

Ich: Ich wusste gar nicht, dass du eine Tochter hast.

Ursula: Ich habe sogar zwei Enkelkinder. Sarah und Johannes.

Ich: Und hast du auch einen Schwiegersohn?

Ursula schaut mich mit gerunzelten Augenbrauen an.

Ursula: Sonst hätte ich ja keine Enkelkinder.

Ich: Lebt der noch bei seinen Kindern und seiner Frau?

Jetzt versteht Ursula.

Ursula: Ja.

Ursula: Wenn der Emma jemals verlassen würde, dann würde ich ihn verdreschen.

Wir nicken uns zu.

Bei Viktors 17. Bahn klingelt mein Rucksack 3-mal in kurzen Abständen, schnell fische ich mein Handy heraus. Ida: *Sie hat gekocht. Mit ihrem neuen Freund. Sie sind laut.*

Ich stehe auf, ziehe das Kleid über den noch pitschnassen Badeanzug, sage »Ich muss los« zu Ursula und renne raus.

Die Musik hört man schon in der Fröhlichstraße 7. Haftbefehls *Ich und meine Sonnenbrille*. Warum hören sie Haftbefehl? Die Fenster der Küche sind beschlagen. Ich stürme das Schlachtfeld. Da sitzen sie, die beiden Verliebten, und hören KIZ.

Mama: Tilda, du bist ja pitschnass. Das ist Jan.

Ich hasse alles an ihm, wie er mich mustert von unten nach oben mit seinen glasigen, geilen Augen, sein viel zu enges rosa Poloshirt, das um seinen Alkoholbauch spannt, seine rechte Hand, die das Weinglas umgreift, und vor allem seine linke Hand, die sich am Nacken unter das Oberteil meiner Mutter schiebt.

Mama: Setz dich, es gibt Pfannkuchen mit Spinat, das hast du als Kind doch so gerne gegessen.

Ich: Nein. Pfannkuchen mit Zimt und Zucker. Spinat fand ich schon immer scheiße.

Mama: Sie ist zuckersüß, meine Tilda, oder Jan?

Jan: Wie Karamell.

»Und du bist ein Arschloch«, sage ich, drehe mich um, gehe, schlage die Küchentür zu und sehe Ida im Flur, wie sie in ihr Zimmer rennt. Ich folge ihr. Wir setzen uns nebeneinander auf ihr Bett und schau-

en auf ihre Bilderwand gegenüber. Einige Bilder sind ihrer Aufräum-
aktion zum Opfer gefallen. Das rosafarbene Schwein ist zum Glück
noch da. Schneewittchen und Rapunzel auch. Daneben ein großes
neues Bild. Wasserfarbe. Wie eine Aufnahme mitten im sprießenden
Grün des Waldes. Ich erspähe das Gesicht einer Elfe mit blauen Haaren hinter einem Fliegenpilz, und oben auf einer Baumkrone sitzt
ein kleiner Kobold. Es ist wie ein Suchbild. Der eine Baum oder vielmehr sein Stamm ist lebendig, und ich erkenne freundliche Augen
und ein wohlwollendes Lächeln in der Rinde. In den Baumkronen
sind noch mehr frech lachende Elfengesichter mit bunten Haaren.
Am liebsten würde ich jetzt sofort in den Wald zu unserer Lichtung
flüchten. Vielleicht würde ich eine Elfe sehen, wenn ich eine suchen
würde. Vielleicht ist das überhaupt unser Problem, dass wir nie in
den Wald gehen, um Elfen zu suchen.

Ich: Sorry.

Ida: Ich finde auch, dass er ein Arschloch ist.

Ich lache.

An der Stelle von Dornröschen ist ein neues Bild. Aquarell. Es zeigt
ein Floß auf wildem, dunklem Wasser. Auf ihm ein Junge mit Koch-
mütze und eine Prinzessin mit Hasenohren.

Ich: Er ist wieder da.

Ida lächelt mich an, und ich lächle zurück.

Ida: Endlich.

Die Mama-Ratte hat sie auch abgehängt. Zum Glück. Ich mochte
sie nicht.

Ich: Hast du schon was gegessen?

Ida schüttelt den Kopf.

Ida: Ich wollte den Tisch decken.

»Ich nenn dich lieber Sunny, ah, ah, ah, ah, ah. Ab jetzt wird alles
easy. Denn du bist nicht mehr da, ah, ah, ah, ah, ah«, singt Cro in der
Küche.

Ich: Döner?

Ida nickt und springt auf.

Ich stehe auf und sehe einen dunklen Fleck auf dem Laken, ich habe immer noch den nassen Badeanzug an.

Ich: Fuck, sorry.

Ida: Ist okay, dann riecht mein Bett nach Schwimmbad.

Meine Augen zucken seit Tagen, und ich kann das Zucken nicht kontrollieren. Ich bin todmüde, liege im Bett und will schlafen, aber die Gedanken sind lauter als die Müdigkeit und die Generation Deutschrap-Playlist in der Küche. Da ist kein Lüftchen, das auf mich fällt, nur stehende, zitternde Hitze. Das Forschungsvorhaben ist jetzt da, aber das Ida-Vorhaben stockt. Ida versucht zwar, die angenommenen Vorschläge umzusetzen, aber irgendwie sind sie doch nicht so zielführend, wie ich dachte. Sie kommt gern mit zur Uni und liest sehr viel, aber sie ist nicht extrovertierter geworden. Seit einer Ewigkeit war sie nicht mehr im Schwimmbad, sie verbringt die heißen Tage vor allem mit Lesen und Malen. Dass sie sich freut, dass ihr Bett nach Schwimmbad riecht, anstatt wie die anderen Kinder ins Schwimmbad zu springen, tut mir weh. Aber sie scheint auch nicht unglücklich zu sein. Ganz im Gegenteil. Ausgerechnet seit dem Abend ihres letzten Schultags ist sie ziemlich gut drauf. Ich denke an die vielen gedeckten Tische, an die überfahrenen Radieschen. Ich denke an die 4 Müllsäcke vor ihrem Zimmer. An das neue Bild mit dem Floß, dem Küchenjungen, der Prinzessin mit den Hasenohren. Ich denke an den »Nein« schreienden Hasen, der sich in die Prinzessin verwandelt. Ich denke an Ida, wie sie sich neben mich setzt und meint »Alles wird gut«, und frage mich, ob alles gut wird.

Ich habe einfach Angst, dass Ida nicht bereit ist für meinen Weggang und Mamas Kollaps. Denn im Gegensatz zu Ersterem steht Letzterer zweifellos, 100-prozentig und unmittelbar bevor.

»Wir bleiben wach, bis die Wolken wieder lila sind«, singen Marteria, Miss Platnum und Yasha in der Küche.

High Five. Ich hätte lieber jedem der Teilnehmer ein ordentliches High Five gegeben und wäre dann ins Schwimmbad geflüchtet, nachdem Professor Klein nickend »Sehr gut, Frau Schmitt« gesagt hat, als ins High Five zu gehen. Aber ich darf nicht immer so asozial sein, wenn ich von Ida gleichzeitig mehr soziale Kompetenz fordere. Sei locker, gib dem Ganzen eine Chance, denke ich streng und kneife die Augen mehrmals fest zusammen, damit dieses Zucken aufhört, aber als ich dann die mit Retro-Wohnzimmermöbeln eingerichtete Bar betrete, bereue ich es bereits.

Anna erzählt von ihrem komischen Mitbewohner, der gerade auf einem Fitness- und Koch-Trip ist, gefühlt 10-mal am Tag den lauten Smoothie-Maker anschmeißt, irgendwelche fettverbrennenden Kräuter anpflanzt und mit einem roten Faden eine Trennwand im Kühlschrank eingebaut hat zwischen ihrem ungesunden Scheiß und seinem Obst, Gemüse und Magerquark.

Anna: Letztens sehe ich, dass aus dem Schwamm Kresse wächst! Ja, ihr hört richtig. Aus dem Schwamm wachsen so minikleine grüne Gräser. Ich dachte, mein Schwein pfeift. Irgendwie sind die Samen zu dem Schwamm gekommen und tada!

Alle lachen. Früher, als ich mit Mama einkaufen war, durfte ich mir manchmal eine Zeitschrift wie *Micky Maus*, *Wendy* oder *Frag doch mal die Maus* mitnehmen. In irgendeiner waren mal Kressesamen dabei, die man in Watte säen konnte. Mama pflanzte die Samen mit mir an, und eine Woche später, als die Keimlinge auf dem Kartoffelsalat verstreut lagen, sagte sie zu Papa: »Das ist unsere eigene Kresse.« Ich sprang vom Stuhl und holte die Schale mit dem Wattebeet und zeigte es ihm. Der Kartoffelsalat schmeckte mir an dem Tag besonders gut. Später, als ich dann oft allein einkaufen ging, gönnte ich mir auch ab und zu eine Zeitschrift, wenn etwas Cooles dabei war. 1-mal war in der *Micky Maus* ein Urzeitkrebs-Set zum Selberzüchten drin. Ich hatte leider die Krebseier mit dem Krebsfutter verwechselt, und kein einziger Urzeitkrebs überlebte, ich meine, sie sind noch nicht einmal geschlüpft, ich bin mir aber nicht sicher. Ich weiß nur, dass das ganze Unternehmen eine große Enttäuschung war. Und während ich mich ganz konzentriert zu erinnern versuche, ob die Krebse damals geschlüpft sind oder nicht, betritt er das High Five. Viktor. Eine beige weite Hose, ein lockeres weißes Shirt darüber und New-Balance-Sneaker. Er sieht mich nicht, setzt sich auf einen Hocker an der Bar und wechselt ein paar Worte mit dem Barkeeper, der ihm ein Bier hinstellt. Nicht nur ich beobachte ihn. 3 junge Frauen an einem Tisch neben der Bar, ihrem Kleidungsstil nach wahrscheinlich Jura- oder BWL-Studentinnen, auf jeden Fall keine Mathematik, haben ein Auge auf ihn geworfen. Ich habe perfekte Aussicht auf die Paarungseinleitung, wobei vor allem die Brünette mit dem engen schwarzen Rollkragenkleid paarungswillig unterwegs zu sein scheint. Sie sieht aus wie eine Jacqueline. Jacqueline blickt, auch während sie mit ihren Freundinnen spricht, zu Viktor und lacht so laut, dass sogar andere Gäste als ich zu ihr schauen. Wenn Jacqueline wüsste, auf was für einen Eisblock sie da gerade zusteuert. Ich grinse in mich hinein bei dem Gedanken an die gleich bevorstehende Kollision, an seinen irritierten, ja fast schon angewiderten Blick, aber mein schadenfrohes In-mich-Hineingrinsen gefriert abrupt, als er den ralligen Blick der BWL-Studentin bemerkt und sie zuckersüß anlächelt. Er hebt die Augenbrauen wie eine Frage. Flirtet er etwa mit dieser Jacqueline? Sie erhebt sich von ihrem Stuhl und setzt sich neben ihn.

Ferdinand: Alles klar, Tilda?

Ich: Alles super, wieso?

Felix: Du guckst so wütend.

Anna: Richtige Stimmungskanone.

Ich sitze hier und hasse alles. Das schale Bier, das Geld, das ich für das schale Bier bezahlen muss, und am meisten hasse ich ihn. Wie er da selbstgefällig an der Theke lehnt in seinem weißen Shirt und der weiten beigen Hose, die ihm viel zu gut steht. Und diese dumme

Kuh neben ihm, die ihre dumme manikürte Hand auf seine Schulter legt, hasse ich auch. Ich hasse Jacqueline, und ich hasse den Namen Jacqueline. Und ich hasse es, dass sie ihn anlächelt, und vor allem, dass er sie anlächelt. Wieso lächelt er sie an? Ich dachte, er wäre traurig und unglücklich. Er hat doch seine ganze Familie verloren. Und trotzdem lächelt er sie an. Die beiden schauen sich in die Augen, bis sein Blick den meinen trifft und sich sein Grinsen vertieft. Arschloch. Ich ziehe einen Zehner aus meiner Bauchtasche, stehe auf, sage »Ich gehe« und gehe. High Five. Als ich den Namen der Bar gehört habe, hätte ich sofort Nein sagen sollen. Die Straßenbahn, die vor meiner Nase wegfährt, hasse ich auch.

»Hey!«

Seine Stimme hinter mir. Ich laufe weiter.

Viktor: Du willst doch nicht etwa schon wieder nachts allein nach Hause laufen?

Eigentlich will ich nur zu einer der nächsten Stationen laufen, weil ich Warten hasse, aber ich habe jetzt echt keine Lust, ihm zu antworten.

Viktor: Ich rufe dir ein Taxi.

Ich: Nein.

Viktor: Das sind 10 Kilometer.

Ich: 11.

Er holt auf, und wir laufen nebeneinander. Zwischen uns sind circa 130 Zentimeter, beide Blicke starr geradeaus gerichtet, beide Münder geschlossen. Ich werde mit Sicherheit keine Unterhaltung starten, nachdem er uns aus seinem Haus rausgeschmissen hat, ohne ein Wort abgehauen ist und dann auch noch mit dieser Jacqueline geflirtet hat.

Ich frage mich, wo er die letzten Wochen war, und ich frage mich, wie lange er diesmal bleiben wird, aber ich frage ihn nicht, weil ich ja sauer auf ihn bin. Eigentlich habe ich keinen richtigen Grund, sauer auf ihn zu sein, weil wir ja keine Freunde sind und er mir nichts schuldig ist, aber nicht richtige Gründe sind ja auch irgendwie richtig, wenn man eben sauer ist.

Die Nacht ist wunderschön, der Himmel ist klar und voller Sterne, es ist immer noch warm, aber nicht mehr so unangenehm heiß wie tagsüber, und es riecht nach ganz viel. Eigentlich sollte man für Nächte wie diese leben, wenn alles so still ist und schläft. Wenn alle ihren Mund halten. Wenn da nur die Grillen sind, die man zirpen hört, und in der Luft ganz viele Versprechen liegen.

Viktor: Tilda, das geht gar nicht, dass du mitten in der Nacht in einem kurzen Kleid angetrunken an einer kilometerlangen unbeleuchteten Landstraße, auf der so gut wie niemand unterwegs ist, nach Hause laufen willst.

Ich: Du hast noch nie so einen langen Satz zu mir gesagt. Wusste gar nicht, dass du hypotaktischen Satzbau beherrschst.

Viktor: Vor kranken Typen schützt dich auch dein freches Mundwerk nicht.

Ich: Du bist der einzige kranke Typ, der mich nachts immer irgendwo aufgabeln will. Und außerdem kann ich Karate.

Er läuft schweigend weiter, und ich ärgere mich ein bisschen, dass er nicht über meinen Witz lacht. Und ich wollte ihn auch nicht als kranken Typ bezeichnen. Aber ich werde nicht zuerst reden. Eigentlich wollte ich wirklich nicht bis nach Hause laufen, aber als wir nach 45 Minuten eine Haltestelle erreichen, bei der die Anzeige die nächste Bahn in 3 Minuten ankündigt, laufen wir, schweigend die Anzeige ignorierend, weiter. Zwischen uns sind nur noch circa 40 Zentimeter, beide Blicke starr geradeaus gerichtet, beide Münder geschlossen. Ich frage mich, ob ich mich an ihn angenähert habe oder er sich an mich oder wir beide uns aneinander. Der Gehweg ist auf jeden Fall die ganze Zeit gleichbleibend breit. Da sind so viele Fragen in meinem Kopf – Wo warst du? Hast du die Schlafzimmer von deinen Geschwistern und deinen Eltern schon leer geräumt? Hat der Reisenthel-Korb deiner Mutter gehört? Was ist deine Lieblings-Paradiescreme? –, die ich allesamt hinunterschlucke. Weil ich nichts kaputt machen möchte, weil das Schweigen und das Nebeneinander-durch-die-Nacht-Laufen guttun. Ich frage mich, ob er den nächtlichen Spaziergang auch ein bisschen genießt.

Als wir die Fröhlichstraße erreichen, würde ich am liebsten einfach an unserem Haus vorbeilaufen, immer weiter, in den Wald hinein, vielleicht würden wir ein paar Elfen sehen, wenn wir nach welchen suchen würden. Aber Viktor bleibt auf der Höhe unseres Wohnhauses stehen, wartet, bis ich die Haustür erreiche; als ich den Schlüssel ins Schloss stecke, drehe ich mich um, ich hebe die Hand zum Abschied und lächle leicht, er hebt die Hand zum Abschied und lächelt leicht, dreht sich wortlos um und geht. Ich blicke ihm nach, bis ich ihn nicht mehr sehe. Er dreht sich keinmal mehr um.

Am Sonntagmorgen ist der Himmel pechschwarz. Wirklich pechschwarz. Es ist so dunkel, dass wir morgens in der Küche Licht anmachen müssen. Ida und ich sitzen am Esstisch, Ida liest, und ich arbeite an meiner Masterarbeit. Mama schaut Fernsehen oder vegetiert vielmehr auf dem Sofa, während der Fernseher läuft. Jan ist nicht da, sie haben sich gestern Abend lautstark gestritten, und ich weiß nicht, ob ich erleichtert bin oder Angst habe. Bisher ist das Arschloch seit den Pfannkuchen am Dienstag jeden Abend mit ihr zusammen von der Arbeit gekommen, sie haben auf dem Balkon getrunken und sind dann aufs Sofa oder ins Schlafzimmer übergesiedelt, und morgens, wenn ich das Haus mit oder ohne Ida verlassen habe, haben sie noch geschlafen. Wir gehen uns aus dem Weg. Die Küche ist Idas und mein Reich, der Balkon und das Wohnzimmer gehören Mama und Jan. Am Mittwochmorgen habe ich das Mama gegenüber klargestellt, und sie hat nur mit den Schultern gezuckt, hält sich aber dran. Ab und zu kommt sie zum Kühlschrank und holt Getränkenachschub, manchmal auch Chips oder andere Snacks. Gestern Abend hat sie gefragt, ob wir Oliven oder irgendwelche Antipasti haben, ich habe laut aufgelacht. Später, als ich im Bett lag, ist es lauter geworden. Sie haben auf dem Balkon gestritten. Es ging um irgendeine Marianne, zu der er doch abhauen soll, immer wieder ist der Name Marianne gefallen oder Schlampe, bis die Wohnungstür zuschlug. Ich frage mich, ob wir das Arschloch schon los sind oder ob das nur ein unbedeutender Suff-Streit war. Normalerweise halten Mamas Liaisons um die 3 Wochen, aber es gibt immer Abweichler. 1-mal hatte sie einen Freund, der war fast 3 Monate hier. Oliver. Er war okay, aber auch Alkoholiker. Ich denke, dass Jan heute Abend wiederkommt.

Um 10:55 Uhr beginnt es zu donnern, um 11:23 Uhr zu tröpfeln, um 11:24 Uhr zu schütten, und dann geht die Welt unter. Es hagelt, stürmt, blitzt, donnert. Alles gleichzeitig, und es hört nicht auf. Vielleicht geht die Welt wirklich unter. Blumentöpfe fliegen durch die

Gegend, Äste, Müll, ein Bach fließt die Fröhlichstraße herunter. Immer mehr Sirenen werden laut, während wir gemütlich am Esstisch sitzen.

Ich: Hast du Angst?

Ida: Nein, du?

Ich: Nein.

Ida: Irgendwie gemütlich, oder?

Ich: Ja, irgendwie schon.

So ein Weltuntergang kann uns beiden nichts mehr anhaben.

Um 12:49 Uhr ist das Gewitter vorbei, und es schüttet nur noch. Das Wetter hat umgeschlagen. Ich öffne alle Fenster der Küche und lasse die frische Luft rein.

Ich: Das tut gut.

Ich: Morgen Schwimmbad?

Ida nickt.

Ida: Vielleicht haben wir es jetzt überstanden?

Ich: Was meinst du?

Ida: Na die Hitze.

In dem Moment steht Mama in der Tür und geht zum Kühlschrank. Ihre Augen sind verheult.

Ich: Vielleicht.

Als nachts endlich wieder kalter, nach Regen duftender Wind auf mich fällt, lache ich laut, bis ich schließlich die Fenster schließen muss, weil es reinregnet.

Am Montagnachmittag läuft mir in der Fröhlichstraße eine fröhliche, mit Regenschirm bewaffnete Ida entgegen. Ich tue so, als ob ich sie nicht gesehen hätte, mache eine 180-Grad-Drehung und laufe zügig Richtung Schwimmbad. Ihre rennenden kleinen, lauter werdenden Schritte höre ich im Rücken, bis sie 10 Sekunden später versucht, halb joggend neben mir Schritt zu halten.

Ich: Wohin gehts, Sonnenschein?

Sie streckt mir die Zunge raus.

Der leere Parkplatz lässt jedoch bereits Schlimmes erahnen. »Geschlossen wegen Unwetter« steht auf dem Schild vor dem Eingang, auf dem sonst mit Kreide die Luft- und Wassertemperatur steht.

Ich: So eine Scheiße. Das Unwetter war doch gestern. Das hier ist einfach nur Regen.

Ida: Und nächste Woche schließt das Schwimmbad dann.

Die inzwischen nicht mehr fröhlich dreinblickende Ida dreht sich um und geht.

Ich: Na, dann müssen wir wohl einbrechen.

Damals bin ich in lauen Sommernächten ein paarmal betrunken mit Leon, Marlene und den anderen über den Zaun geklettert. Da dachten wir noch, die Welt gehöre uns und uns stünde Großes bevor, wobei ich schon ahnte, dass mir nicht so Großes bevorsteht wie den anderen. Später, als ich wusste, dass mir nichts Großes bevorsteht, bin ich noch 3-mal mit Marlene und Ivan eingebrochen.

Ida ist überfordert, als wir uns nach dem recht unspektakulären Überklettern des Zauns im leeren Schwimmbad befinden, überblickt das leere Becken, die leere Wiese, den runtergelassenen Rollladen beim Kiosk und steht 1 Minute einfach nur da. Aber dann lässt sie das Becken nicht länger auf sich warten und taucht ab. Ich atme den Chlor- und Regengeruch ein, schmeiße meinen Rucksack auf die Bank, ziehe das Kleid über meinen Kopf, springe kopfüber ins Wasser, tauche im tiefen Bereich bis zum Grund, setze mich auf den Boden und schaue mir das Ganze von unten an. Keine unkoordiniert zappelnden Kinderbeine, keine mehr oder weniger koordiniert zappelnden Seniorenbeine, keine tauchenden Kinderkörper, keine gemischten Beine am Beckenrand. Nur eine fröhliche, tauchende Ida und Abertausende Regentropfen, die an die Wasseroberfläche klopfen. Friedlich, denke ich und würde am liebsten noch ein bisschen hier unten sitzen bleiben, wenn ich dann nicht sterben müsste. Ich stoße mich vom Boden ab und schwimme meine 22 Bahnen. Danach sitze ich frierend über eine Stunde auf Ursulas Bank und schaue Ida zu, die mich, jedes Mal wenn sie eine kurze Verschnaufpause macht, anstrahlt. Ich strahle zurück. Mir ist scheißkalt, mein Körper zittert, aber immer wenn sie fragt, ob wir noch kurz bleiben, nicke ich nur. Ich kann sowieso nicht mehr aufstehen. Dass ich ausgerechnet heute auf die heiße Dusche verzichten muss, ist hart, aber ich will Ida nicht auch noch zeigen, wie man mit einer Kreditkarte eine verschlossene Tür aufbekommt. Schwimmbadeinbruch aka über einen Zaun klettern reicht fürs Erste.

Auf dem Nachhauseweg bleibe ich vor dem Dönerladen stehen.
Ich: Pizza?
Ida nickt.
Als ich ihr den 10-Euro-Schein gebe, zögert sie.
Ich: Du bist gerade ins Schwimmbad eingebrochen, da wirst du wohl eine Familienpizza bestellen können.
Sie schaut mich böse an, nimmt den Schein, knüllt ihn zusammen und geht auf den Dönerladen zu.
»Frag, ob sie ein Viertel Hawaii für mich, ein Viertel Funghi für dich und eine Hälfte Salami für alle machen können«, rufe ich ihr nach.
10 Minuten später kommt sie mit einem stolzen Lächeln im Gesicht raus und gibt mir den Karton.
Ida: Ein Viertel Hawaii für dich, ein Viertel 4 Jahreszeiten für Mama und eine Hälfte Funghi für mich.
Touché.

Fröhlich und durchgefroren laufe ich neben der mit dem großen Pizzakarton in der Hand auf dem Bordstein hüpfenden, noch fröhlicheren Ida. Ich sehe aus den Augenwinkeln, dass sie vergeblich versucht, das Strahlen zu unterdrücken, das immer wieder ihre Mundwinkel nach oben zieht. Ich schaue lachend zu der Strahlemaus und sehe dann aus den Augenwinkeln, dass in unserer Wohnung kein Licht brennt. Ungewöhnlich. Mama lässt immer, auch wenn sie aus dem Haus geht, mindestens 2 Lampen an, weil sie Angst vor der Dunkelheit und vor Einbrechern hat. Die Stille ist unheimlich, als wir die Wohnungstür aufschließen. Alarmiert stürme ich das Wohnzimmer und höre auf zu atmen. Auf dem Glastisch: die obligatorische Wodkaflasche, längliche Xanax-Tabletten, die aussehen wie diese kleinen rechteckigen PEZ-Bonbons aus den Plastikfiguren. Xanax nimmt sie eigentlich immer nur in Phasen, in denen sie weniger trinkt, zum Einschlafen, damit sie eben schläft und nicht trinkt. Benzodiazepine und Alkohol in Kombination sind gefährlich, und das weiß sie. Ein kleiner karierter Zettel, daneben ein Faber-Castell-Bleistift, Härtegrad HB. Mein Bleistift. Auf dem Zettel, der aus einem meiner STUDENT-Blöcke von Brunnen, kariert mit Rand, abgerissen wurde, steht in Großbuchstaben »SORRY«. Das »Y« auf dem weißen Rand, die anderen Buchstaben »SORR« auf den Karos. Und sie. Sie liegt da einfach so friedlich auf dem Sofa in dem Maleficent-Pyjama, den Ida und ich ihr letztes Jahr zu Weihnachten geschenkt haben. Ruhe bewahren, Tilda, ruhig atmen. Einatmen, ausatmen. Du musst nun schnell und konzentriert handeln, du bist vorbereitet. Du musst jetzt handeln. Jetzt. Jetzt. Jetzt. Aber ich kann nicht, ich kann mich nicht bewegen. Ich schaue zu Ida, die auch nicht mehr atmet, sich auch nicht bewegen kann und mich aus meiner Starre löst. Jetzt.

Jetzt: Tablettenreste gegebenenfalls aus dem Mund entfernen.

Ich öffne mit meinen beiden Händen ihren Mund.

Da ist nichts mehr.

Jetzt: Bewusstsein kontrollieren. Die Betroffene laut ansprechen.

»Mama, Mama«, spreche ich die Betroffene laut an, die keine Reaktion zeigt.

Ich: Ida, ruf den Notarzt. 112.

Jetzt: Atmung kontrollieren.

Ich überstrecke ihren Kopf, indem ich eine Hand auf die Stirn lege und mit der anderen das Kinn anhebe, beuge mich über den Kopf der Betroffenen, die meine Mutter ist, schaue dabei auf ihren Brustkorb, der sich hebt und senkt, höre Atemgeräusche und fühle an meiner Wange Mamas Atem, zu dem sich eine Träne gesellt.

Ich höre Ida Wörter sagen, die ein Kind nie sagen sollte, nicht nur ich habe mich vorbereitet: Ida Schmitt, Fröhlichstraße 37. Meine Mama ist bewusstlos. Überdosis. Alkohol und Tabletten.

Ida: Atmet sie?

Ich nicke.

Ida: Atmung vorhanden.

Jetzt: Stabile Seitenlage.

Damit Mama nicht an ihrem Speichel oder ihrer Zunge erstickt, ziehe ich die Betroffene, die immer noch meine Mutter ist, vom Sofa auf den Teppich, drehe sie auf die Seite, lege ihren Arm im rechten Winkel ab, ziehe das gegenüberliegende Knie hoch, lege das Handgelenk des anderen Arms darauf, drehe sie zum abgewinkelten Arm, überstrecke den Kopf und öffne den Mund, damit Blut, Erbrochenes oder Schleim abfließen kann.

Jetzt: Dafür sorgen, dass die Betroffene ruhig atmet.

Ich öffne die Fenster und decke Mama zu. Und dann, nachdem Bewusstsein und Atmung kontrolliert sind und Mama da in stabiler Seitenlage zugedeckt auf dem Teppich liegt, knien wir neben ihr wie 2 Zwerge bei dem vergifteten Schneewittchen. Sie sieht in dem mit den Gesichtern der bösen Fee bedruckten Disney-Schlafanzug aus wie ein selig schlafendes Kind. Idas rechte Hand liegt in meiner linken, Mamas rechte Hand in Idas linker, meine rechte Hand auf Mamas Wange, und zu dritt warten wir auf die Sirenen.

TEIL 3

Sirenen. Krankenhaus. Ich nehme nichts richtig wahr. Alles ist zu hell und zu laut. Und zu schnell. Zu viele Fragen, die ich nicht beantworten kann. Zu viele Wörter, die ich nicht verstehe. Intoxikation. Entgiftung. Seid ihr die Töchter? Wo ist euer Vater? Wie lange war sie schon bewusstlos? Mir ist heiß und kalt, und ich will mich hinlegen. Ich will auch auf so ein Bett wie Mama. Sie sollen mir auch helfen. Da ist so viel Gift in mir. Ich will auch eine Entgiftung. Wie man sich wohl nach einer Entgiftung fühlt?

Alles zieht an mir vorbei, und Ida zieht mich aus dem Gebäude raus. Bus. Schlafen. Ich will schlafen.

Ida: Wir müssen aussteigen. Wach auf.

Ich will nicht aufstehen, ich kann nicht. Meine Beine. Sie zerrt mich raus.

Ida: Komm, Tilda, noch 500 Meter, dann haben wir es geschafft. Dann sind wir zu Hause, und du kannst dich hinlegen.

Ich schleppe mich, oder Ida schleppt mich nach Hause, wobei jeder Schritt schmerzt.

Ich lasse mich in mein Bett fallen.

Ida: Du glühst. 39,9 Grad Celsius.

Da steht ein Pferd. Ein Mann sitzt auf dem Pferd. Ein großer Mann mit braunen Locken, in einem dunkelgrünen Umhang, ein Ritter? Ich schaue in sein Gesicht. Es ist mein Vater. Er schaut auf mich herab, aber er scheint mich nicht zu erkennen, obwohl er mir direkt in meine Augen schaut, die die seinen sind. Oder ignoriert er mich? Er wendet seine braunen Augen ab, die die meinen sind, hin zu einer Frau, die auf ihn zugeht. Die Frau hat blondes, langes Haar und trägt ein rotes Kleid. Die beiden lächeln sich an, und da ist so viel Wärme zwischen ihnen, dass ich sterben möchte. Mein Körper brennt und schmerzt, als ich sehe, wie er die Frau auf das Pferd hochzieht und sie ihre Arme von hinten um ihn legt. Mein Vater und die Frau drehen sich um zu 2 Mädchen, die auf sie zugehen. Die eine hat blondes, langes, glattes Haar wie die Frau, und die andere hat braunes, lockiges Haar wie mein Vater. Sie wollen die Mädchen doch nicht etwa auch auf das Pferd hochziehen? Nein, das geht nicht! Das Pferd kann nicht so viele Menschen tragen. Das ist zu schwer. Die Mädchen können doch ein eigenes Pferd bekommen. Mit der Frau. Die wiegen zu dritt höchstens 140 Kilo. So viel wie ein dicker Mann. Ich schreie: »Nein! Das ist Tierquälerei!« Aber sie hören mich nicht. Ich brülle mit aller Kraft: »Nein!« Aber sie hören mich nicht und traben zu viert fort von mir. Mir wird schlecht, ich zittere und versuche es ein letztes Mal. Leise, aber deutlich entfährt mir ein Krächzen: »Papa.« Aber er hört mich nicht oder will mich nicht hören und trabt mit den 3 Frauen davon. Ich übergebe mich. Ich übergebe mich, obwohl nichts mehr drin ist in meinem Körper. Nur Leere. Und trotzdem würge ich weiter, weil es so wehtut. Der Schmerz soll raus. Eine Hand auf meiner Stirn. Die Hand ist klein und kalt. Die Hand wischt mir mein nasses Haar aus dem Gesicht.

40,2.

Eine Mädchenstimme: Tilda, ich bin da. Alles wird gut.

Ich sehe ein anderes Mädchen mit einem mit Delfinen bedruckten

Schulranzen. Es läuft die Fröhlichstraße entlang. Ich sehe in das traurige Gesicht des Mädchens mit den braunen langen geflochtenen Zöpfen, die es sich 2 Tage zuvor geflochten hat. Ich sehe es, wie es auf der Bordsteinkante läuft, immer 2 Schritte pro Stein. Wie es kurz vor dem Haus zögert, einen Lavendelzweig vom Busch reißt, daran riecht, ihn auf den Boden schmeißt und ihn mit dem Schuh zertritt. Damit der Asphalt auch gut riecht. Der Parkplatz vor dem Haus ist leer. Am Sonntag hat der Vater des Mädchens gesagt »Ich gehe«, und ist gegangen. Er ist einfach in den Volvo gestiegen und weggefahren. Und heute ist Freitag. Die Mutter heult seitdem. Sie heult den ganzen Tag. Und die ganze Nacht. Das Mädchen fragt sich, ob die Mutter überhaupt noch schläft. Wenn das Mädchen von der Schule nach Hause kommt, liegt die Mutter heulend im Bett oder auf dem Sofa. Meistens heult sie sehr leise, man hört es fast nicht. Das Heulen scheint bei ihr das Atmen zu ersetzen. Manchmal schluchzt sie auch laut. Da erschrickt das Mädchen. Das Mädchen fragt sich, wie die Mutter überhaupt so viel heulen kann. Wie viel Tränen sie in ihrem Körper hat. Das Mädchen heult fast nie und wenn, dann nur ganz kurz und leise. Die Mutter muss bestimmt viel trinken, um so viel Tränen produzieren zu können, denkt das Mädchen. Aber die Mutter trinkt eigentlich nicht. Die Mutter trinkt und isst seit Sonntag nicht. Das Mädchen schließt die Haustür auf. Drinnen riecht es nach grauen Tränen. Das Mädchen geht in die Küche und füllt Cornflakes in die blaue und gelbe mit lächelnden Gesichtern bemalten Schüsseln. Die Milch ist schlecht, also kommt nur noch jeweils ein Löffel rein. Die Mutter liegt auf dem Sofa und ringt sich zu einem traurigen Lächeln durch, setzt sich auf und tätschelt die Schulter des Mädchens.

Die Mutter: Danke, mein kleiner Engel.

Nebeneinander löffeln Mutter und Mädchen die karge Mahlzeit in sich hinein.

Dem Mädchen fällt es immer schwerer, den zerkauten Cornflakes-

Brei hinunterzuschlucken, und eigentlich will es auch nur eine Sache wissen. Seit 5 Tagen will es der heulenden Mutter diese eine Frage stellen, aber es hat so große Angst vor der Antwort, dass es sie immer wieder hinunterschluckt, wie den Cornflakes-Brei, den es viel zu schnell in sich reinschaufelt und der ohne Milch so stopft, dass es schlecht Luft bekommt.

Bevor es zu spät ist und das Mädchen erstickt, fragt es atemlos: »Kommt Papa wieder zurück?«

Die Mutter zuckt zusammen, als ob das Mädchen sie geschlagen hätte.

Mama: Nein, wir beide sind dem Herrn Professor wohl nicht gut genug.

Nasse Kälte im Gesicht. Das tut gut.

Ich: Mehr. Mein Blut kocht.

41,3.

Mädchenstimme: Kalte Badewanne.

Kaltes Wasser überall auf meinem Körper, jemand versucht, mein Feuer zu löschen. Ich will Danke sagen, aber ich habe keine Kraft.

Mein Vater, Ida und ich sind im Freibad. Es schüttet. Wir sind allein. Wir spielen Schweinchen in der Mitte, ich bin das Schweinchen und schaffe es einfach nicht, den beiden den Ball zu entwenden. Ida gluckst. Sie nennt meinen Papa auch Papa, und das ist okay für mich und meinen Papa, weil sie keinen hat und eigentlich das Recht auf einen hat. Ida hat ja noch nicht einmal eine richtige Mama. Der Regen endet abrupt. Das Wasser wird trüber, der plötzlich steinige Boden unter den Füßen schwindet. Wir sind im Baggersee. Wieder allein. Außer uns treiben noch 4 Tretboote verlassen im See herum. Wir schwimmen selbstverständlich alle 3 sofort zu dem einzigen Boot mit Rutsche und entern es.

Ida und ich treten gemächlich über den See, mein Vater liest ein Buch, und auf einmal werden die Wellen größer, das Wasser blauer, und die Luft verändert sich. Kreischende Möwen über uns. Wir sind auf dem offenen Meer. Wieder allein. Die Sonne scheint. Ida und ich rutschen sofort ins salzige Wasser und spielen mit dem Meer.

Unser Vater ruft vom Boot zu uns herab: Meine Mädchen. Wir ziehen zusammen ans Meer? Was haltet ihr davon?

Wir erstarren.

Ich: Und was ist mit Mama?

Vater: Ihr müsst sie zurücklassen. Sie wird sich nicht verändern. Glaubt mir.

Ida: Und was ist mit deiner neuen Familie?

Vater: Die verlasse ich.

Ich: Nein! Du kannst nicht immer alle deine Familien verlassen!

Vater: Doch, und ihr müsst euch jetzt entscheiden.

Ida und ich schauen uns an und denken das Gleiche, ich spreche es aus.

Ich: Nein.

Ida: Wir verlassen Mama nicht.

Er zuckt mit den Schultern und fährt mit dem Tretboot davon. Er fährt davon und überlässt uns einfach so mitten im offenen, tödlichen Meer unserem Schicksal. »Warte!« und »Papa!« und »Wir werden ertrinken!«, rufen wir ihm nach, aber er tritt unbeirrt weiter. »Arschloch!«, »Mörder!«, rufe ich ihm nach, als er schon gar nicht mehr zu sehen ist, und wünsche ihm, dass er vom weißen Hai getötet wird.

Ida darf nicht sterben. Sie ist so jung und hat noch viel vor sich. »Hilfe«, brülle ich, bis ich keine Stimme mehr habe, aber es ergibt keinen Sinn.

Ich: Wir schaffen das. Wir schaffen alles. Zusammen.

Ida: Ich hab dich lieb, Tilda.

Ich: Ich hab dich auch lieb, Ida.

Ich: Halt dich an meinem Rücken fest.

Sie umschlingt meinen Hals, und ich begreife, dass ich das nicht lange durchhalten werde.

Und dann sehen wir es beide. Da ist ein Schiff am Horizont, das auf uns zukommt.

Mädchen: 40,1. Gestern 41,3.

Eine Männerstimme: Fuck.

Ich sehe wieder das Mädchen, das an seinem Schreibtisch sitzt. Ein bisschen älter. Sein braunes Haar ist nur noch schulterlang. Vor dem Mädchen steht eine selbst gebastelte Bienenwachskerze, in der eine kleine Plastikbiene steckt. Das Mädchen schaut der Kerze beim Abbrennen zu. Frau Baumann hat gesagt, dass sie die Kerzen ihren Eltern oder Großeltern schenken sollten, da Kinder und Jugendliche nicht mit Feuer spielen dürften. Das Mädchen hat keine Großeltern und auch keinen Vater, dem es die Kerze schenken kann. Es hat nur eine Mutter, und der möchte es die Kerze nicht schenken, weil sie kein Geschenk verdient hat. Weil sie in letzter Zeit schreit und schlägt.

Das Mädchen hört die Mutter wieder rumschreien. Das Schreien wird lauter, und die Tür öffnet sich.

Die Mutter schreit: »Spinnst du? Kokelst in unserer Wohnung herum. Willst du uns umbringen?«

Die Mutter pustet die Kerze aus und gibt dem Mädchen eine Ohrfeige. Das Mädchen steht auf, nimmt die Kerze und feuert der Mutter das Wachs ins Gesicht.

Das Mädchen: Du schlägst mich nie wieder.

39,2.

Ich liege im Bett. Ida sitzt auf dem Boden mit einem Buch auf dem Schoß, Viktor sitzt an meinem Schreibtisch mit seinem Laptop. Neben meinem Bett: ein Eimer mit Wasser und Tüchern, unsere bewährte Plastikspuckschüssel, eine Flasche Wasser, eine Kanne Tee und eine Packung Ibuprofen. Mein Kopf dröhnt, ich schließe die Augen.

Ida, ich und der Seemann sitzen am Strand und schauen dem Meer beim Meersein zu. Wir sind allein. Es ist friedlich und schön. Da ist eine Frau, die am Ufer entlangläuft. Sie bleibt stehen, dreht sich zum Meer hin und geht Schritt für Schritt ins Wasser hinein. Ich kenne die braunen, glatten Haare, den schlaksigen Gang. Mama. Sie geht immer weiter, kämpft gegen die Wellen, beginnt, unbeholfen zu schwimmen. Ich will aufspringen und sie zurückholen, aber ich kann nicht, mein Körper hört nicht auf mich, auch meine Stimme hört nicht auf mich. Ich bin stumm und taub. Der Seemann springt auf, rennt zum Ufer, schmeißt sich in die Wellen und krault zu meiner Mama, die man nicht mehr sieht. Ich sehe nichts mehr, nur noch Wassermassen, die mir ins Gesicht schlagen, die mich umwerfen, ich weiß nicht, wo oben und wo unten ist, die Wellen wickeln sich um mich, zerreißen mich und ziehen mich tief ins Meer hinein. Salzwasser füllt meine Lunge und brennt wie Feuer. Ich versuche, nach oben zu kommen, weiß aber nicht, wo oben ist. Eine Hand, die mich greift und an die Oberfläche zieht. Ich blicke in das Gesicht des Seemanns. Ich blicke in Viktors Gesicht.

Viktor: Tilda, es ist bald vorbei. Du bist sehr tapfer.

Er legt mir kalte feuchte Wickel ins Gesicht, auf die Beine, nimmt die Decke, bezieht sie neu, setzt mich auf, stützt mich, zieht mir das nass geschwitzte T-Shirt aus, kühlt auch meinen Oberkörper mit kalten Wickeln, trocknet mich mit einem Handtuch ab, zieht mir ein neues T-Shirt an, bettet mich wieder aufs Kissen und deckt mich mit der neu bezogenen Decke zu.

»Danke«, flüstere ich.

Er streicht mir mit seiner großen Hand eine Träne aus dem Gesicht.

38,9.

Dunkelheit. Nacht. 2 Matratzen auf dem Boden. Ida und Viktor schlafen. Ich wünsche mir fest, dass das kein Traum ist.

38,2.

Ich öffne die Augen. Viktor sitzt an meinem Schreibtisch vor seinem Laptop. Auf dem Boden liegen noch immer die beiden Matratzen. Es war also doch kein Traum?

Ich: Hi.

Viktor dreht sich um.

Viktor lächelt.

Viktor: Na, wieder zurück?

Ich: Ich bin mir nicht sicher.

Ich: Wo ist Ida?

Viktor: In der Schule.

Ich: Wie gehts Mama?

Viktor: Stabil. Die Entgiftung ist morgen vorbei.

Ich schließe wieder die Augen.

Ein Handy, das klingelt.

Viktor: Ida?

Viktor: Ja, genau.

Viktor: Nein, nicht die Muschelnudeln, kauf bitte die Buchstaben-nudeln.

Inzwischen bin ich mir doch fast sicher, dass das ein Traum ist. Ich spüre den Kniff im Arm. Komisch.

37,2.

Ich stehe unter der Dusche.

Zuerst eiskalt, um wach zu werden. Dann drehe ich den Temperaturknauf immer weiter auf heiß. Bis es schmerzt. Mit dem fast kochend heißen Wasser spüle ich all den Schweiß, die Tränen, die Albträume, die Schmerzen der vergangenen Tage von mir ab. Um wirklich keinen Partikel von dem ganzen Dreck zu vergessen, schrubbe ich mich mit dem nach Kaffee und Karamell duftenden »No more Drama! Anti-Cellulite Körperpeeling« von Lirene ein. Ich wasche meine fettigen Haare 2-mal mit Shampoo und benutze die vielversprechende »Regeneration 2-in-1 Kur« von Schwarzkopf. Ich putze mir, während die Kur einwirkt, 5 Minuten die Zähne und benutze »Clean & Fresh«-Mundwasser von Listerine, um den faulen Geschmack nach Krankheit und Kotze loszuwerden. Ich schneide mir Fuß- und Fingernägel ganz kurz. Ich rasiere mich. Überall. Eigentlich rasiere ich mich selten, aber irgendwie bin ich im Pflege-Flow und will alles sauber und weghaben. Am liebsten würde ich mir auch die Haare am Kopf abschneiden, aber dann wäre die überteuerte 3 Minuten lang eingewirkte Wunderkur ja umsonst gewesen. Ich trete aus der Dusche in den Dampf, rubble mich trocken, creme mich mit Lavendel-Bodylotion von Nivea ein, und nicht nur meine Haare sind regeneriert. Als ich in meinen weißen Bademantel schlüpfe, fühle ich mich wie ein neugeborenes Baby. Vielleicht sollte ich doch meinen Kopf kahl scheren.

Ida und Viktor haben während meiner Wiedergeburt unsere Wohnung regeneriert. Alle Fenster sind auf Durchzug, es riecht nach Herbst. Spülmaschine und Waschmaschine laufen. Ida wischt den Boden in meinem Zimmer, und Viktor bezieht mein Bett mit weißer Bettwäsche, als ich mir frische Klamotten holen will. Irgendwie komisch, dass, während ich mich einem ausgiebigen Beauty-Programm mit den fragwürdig betitelten Pflegeprodukten meiner Mutter unterziehe, eine mir fast fremde Person mein vollgeschwitztes und vollgekotztes Zimmer reinigt. Und dann schenkt diese mir fast, aber irgendwie auch gar nicht so fremde Person mir auch noch ein Lächeln, das einfach nur schön ist.

Dichter Nebel, als wir die Wohnung verlassen. Das leichte Leuchten des Nebels lässt die sich hinter ihm versteckende Sonne erahnen. Ich habe das Gefühl, das Haus Jahre nicht verlassen zu haben, und habe ganz vergessen, wie schön das da draußen aussehen und riechen kann. Das letzte Mal, als ich draußen war, hat der Herbst erst einmal ein paar unfreundliche Unwetter- und Regenattacken auf den klebrigen, sich nicht verabschieden wollenden Sommer geworfen. Jetzt scheinen sich Herbst und Sommer angefreundet zu haben und zeigen sich im Altweibersommer von ihrer schönsten Seite. Der Herbst ist meine Lieblingsjahreszeit. Winter, Frühling und Sommer sind auch okay, aber der Herbst ist magisch. Der Herbst ist ein Magier, der alles verzaubert. Er hüllt die Welt in Wind, Nebel und Regen, und es riecht nach Leben. Grün wird zu Feuer. Manchmal wirkt das Feuer braun und grau an einem regnerischen Tag. Aber dann kommt an dem braungrauen Tag die Abendsonne heraus, und alles leuchtet golden und glitzert. Und der Duft. Magie.

Ich ziehe den Nebel tief in meinen Körper rein, steige in sein Schiff und wünschte, wir würden zu einem anderen Ziel aufbrechen. Ich wünschte, wir würden jetzt eine lange Autofahrt vor uns haben, aber noch während ich mir die Fahrt durch den Regen mit Sitzheizung, schlechter Radiomusik, Büchern, Halt bei McDonald's vorstelle, stehen wir schon auf dem Krankenhausparkplatz. Ida steigt aus, Viktor und ich bleiben sitzen. Ida öffnet meine Tür.

Ida: Kommt ihr?

Ich springe raus.

Viktor schüttelt den Kopf: Ich warte hier.

Scheiße. Ich bin so unsensibel.

Ich: Du musst nicht hier warten. Wir können mit dem Bus zurückfahren.

Viktor: Parkplatz ist okay, ich will einfach nicht rein.

Ida geht vor, ich folge ihr, erschrecke mich fast, als die mich zu dem Zimmer führende Ida einen entgegenkommenden Arzt grüßt, und ich denke, während ich diesem kleinen, auf einmal selbstbewussten Ding nachlaufe, an Viktor, der im Auto auf dem Krankenhausparkplatz an seine Familie denkt, und hasse mich dafür, dass ich ihn so einer Situation aussetze und dass ich ihm das mit Ivan noch nicht erzählt habe. Ida bleibt vor der Zimmernummer 326 stehen. Ich mag Krankenhäuser und vor allem Krankenbesuche nicht. Mama ist jetzt zum 3. Mal hier, zum 2. Mal mit einer Überdosis. Das andere Mal ist sie betrunken in eine zerbrochene Glasflasche gefallen.

Dieser Moment, bevor man die Tür eines Krankenzimmers öffnet. Der Horror. Was erwartet mich, wenn ich die Tür öffne? Schläuche, die irgendwo aus irgendwelchen Gründen in den Körper Sachen rein- und rauspumpen. Ein abstoßendes Gemisch an Gerüchen. Desinfektionsmittel, Schweiß, Krankenhausessen, Scheiße, Urin. Und vor allem ein Mensch, den man vielleicht nicht so sehen will, im Krankenhausnachthemd, darunter nackt. Schwach, ungewaschen, stinkend, schlafend. Aber als ich die Tür öffne, sitzt Mama wach, in Jeans und einem pinken Pullover, in ihrem Bett und schaut die ZDF-Küchenschlacht. Sie sieht frisch aus. Ihre Haare glänzen wie nach einer »Regeneration 2-in-1 Kur« von Schwarzkopf, und sie hat sogar ihre Augen geschminkt.

Mama: Na, meine Mäuschen.

Das kann nicht ihr Ernst sein.

Ida: Wie gehts dir?

Mama: Gut. Ich fühle mich wie neugeboren. Gereinigt von innen heraus. Und ich freue mich auf zu Hause. Und natürlich auf euch.

Ihre Worte klingen wie eingeübt.

Ida und ich schauen uns an.

Ich: Mama, du hast vor ein paar Tagen versucht, dich umzubringen.

Mama: Nein, Quatsch.

Ich schaue sie mit hochgezogenen Augenbrauen an.

Ich: Xanax?

Mama: Ich hatte einen schlechten Tag, der Arsch ist abgehauen, ich wollte einfach schlafen.

Ida zuliebe erwidere ich nichts.

Mama: Diese Schnitzelpfanne mache ich uns, gleich wenn ich zu Hause bin.

Es klopft.

Die Ärztin kommt herein und verschwendet keine Zeit mit Small Talk.

Ärztin: Frau Schmitt. Die Entgiftung ist nun vorbei. Sie müssen entscheiden, ob Sie in eine Klinik gehen und eine Therapie machen wollen oder nicht. Ich lege Ihnen einen Klinikaufenthalt sehr ans Herz. Gerne können wir Ihnen ein paar Häuser empfehlen.

Das will Mama nicht hören, sie schüttelt vehement den Kopf und ist zapplig, nervös. Sie hat Angst.

Ärztin: Das können Sie jetzt ja mit Ihren beiden Töchtern besprechen.

Es ist Ida, die, als die Ärztin das Zimmer verlässt, einen Schritt auf Mama zugeht, sie direkt anschaut und laut und deutlich das Wort ergreift.

Ida: Du musst alleine entscheiden, ob du in die Klinik gehst oder nicht. Wir wissen, dass du es ohne Hilfe nicht schaffst, und wir wissen, dass wir es ohne dich und auch mit dir schaffen.

Ich höre, dass Ida ihre Ansprache vorher aufgeschrieben und auswendig gelernt haben muss. Ihr Auftritt beeindruckt Mama zwar nicht, aber mich dafür umso mehr.

Mama: Ich will nach Hause.

Ich: Okay. Dann gehen wir jetzt.

Er lehnt an seinem Auto und raucht.

Mama: Das ist euer Freund Viktor? Guter Fang, Tilda.

Für diesen Kommentar würde ich sie am liebsten gegen den Müll-
eimer schubsen, aber sie ist noch zu schwach.

Er nimmt mir die Tasche ab, gibt meiner Mutter die Hand, stellt sich
vor und stopft die Tasche in den Kofferraum.

Ida und ich wollen nicht, dass er geht, aber er muss gehen, weil ich
kein Fieber mehr habe und Mama zurück ist.

Ida umarmt ihn zuerst. Dann stehen wir voreinander, schauen uns
an, er macht einen Schritt auf mich zu und nimmt mich in den Arm.
Ich flüstere »Danke«, er flüstert nichts, sondern streichelt meine
Wange und fährt mit dem Daumen über die Narbe. Dann geht er.
Ich schaue ihm nach und spüre, dass da keine Schmetterlinge in
meinem Bauch flattern. Kein einziger. Nein. Da ist mindestens eine
fette Libelle drin, die mit einer enormen Geschwindigkeit mein In-
neres erkundet. Und wie sich das anfühlt, macht mir Angst.

Am Abendbrottisch ist Mama aufgedreht, sie redet viel zu viel. Über
das leckere Eiweißbrot, das schreckliche Schwarzbrot im Krankenhaus, die nette Krankenpflegerin Carmen, die blöde Krankenpflegerin Lisa und die blöde Ärztin, die sie wahrscheinlich nur blöd findet, weil sie die Wahrheit sagt und ihr zu einem mühsamen Entzug
rät. Ihr Gerede nervt, aber irgendwie tut sie mir auch leid, weil ich
weiß, dass die Redseligkeit ihrer Unsicherheit geschuldet ist. Sie ist
unsicher, weil Ida und ich nicht gesprächig sind, aber wir haben keinen Bock auf dieses Schauspiel. Nach der Überdosis und diesem
karierten »Sorry«-Zettel weigern wir uns, so zu tun, als ob alles in
Ordnung wäre.

Ida: Und wann fängst du wieder an zu trinken?

Ich weiß nicht, wer sich mehr erschreckt, Mama oder ich.

Mama: Ida, was soll das?

Ida: Ich frag mich einfach, wie du dir das vorstellst. Du willst keinen Entzug, also willst du weitertrinken?

Die eben noch so gesprächige Mama ist für einen kurzen Moment sprachlos und schaut Hilfe suchend zu mir. Ich werde sie aber nicht erlösen und schaue sie wie Ida abwartend an.

Mama: Ich werde jetzt erst einmal nichts trinken. Ich fühle mich gut und schaffe es auch ohne Entzug.

Sie schüttelt mit einem unechten Lachen den Kopf.

Mama: Das war ein Ausrutscher. Ihr tut ja so, als ob ich Alkoholikerin wäre.

Ida und ich prusten los. Auch wenn der »Ausrutscher« Mama nicht verändert hat, scheint doch zumindest etwas Gewaltiges mit Ida passiert zu sein.

Als ich in meinem weißen, frisch bezogenen Bett liege, das, wenn ich meine Nase fest aufs Kopfkissen drücke, ein bisschen nach Viktor duftet, und ein sanfter, nach Herbstregen und feuchtem Laub riechender Wind durchs Fenster in mein Zimmer eindringt, fühle ich mich anders. Irgendwie leichter, als ob ich wirklich etwas durch das Fieber verloren oder ausgeschieden habe. Etwas Schweres in der Bauchgegend, das immer da war, scheint nicht mehr da zu sein. Es gelingt mir nicht, das Gefühl dieser Schwere kurz heraufzubeschwören. Es ist weg. Es ist wirklich weg. Ich ziehe die Herbstluft tief in den Bauch rein, in dem jetzt mehr Platz ist.

Ein leises Klopfen.

Ida öffnet die Tür und schiebt ihre Matratze in mein Zimmer.

Ida: Ich denke, du solltest heute nicht unbeobachtet schlafen. Falls das Fieber wiederkommt.

Ich: Okay.

Früher haben wir auch immer in einem Zimmer geschlafen. Ich weiß gar nicht, wann genau Ida aufgehört hat, abends ihre Matratze in mein Zimmer zu schieben.

Ich: Wie früher.

Ida: Ja, wie früher.

Wir liegen beide auf dem Rücken und sind so leise, als würden wir schlafen, dabei wissen wir, dass wir beide nicht auf dem Rücken liegend schlafen können.

Ida: Tilda. Schläfst du schon?

Ich: Nein, du?

Ida: Nein.

Ida: Viktor meint, dass es sein kann, dass das Jugendamt demnächst vorbeikommt.

Ich: Hmm. Hast du Angst davor?

Ida: Ein bisschen. Und du?

Ich: Ein bisschen.

Ida: Viktor meint, dass wir dann einfach so sein sollen, wie wir immer sind.

Ich: Hmm.

Ida: Viktor meint, dass wir dann eigentlich nichts zu befürchten haben.

Ich: Das meint Viktor?

Ida: Ja, er meint, dass wir einfach keine Angst haben sollen und dass ich von dir erzählen soll.

Ich: Du sollst von mir erzählen?

Ida: Also von dir als Schwester. Dass du dich um mich kümmerst, dass du kochst, mit mir ins Schwimmbad gehst, Ausflüge machst, dass du immer da bist. Er würde auch eine Aussage machen und für uns bürgen.

Ich: Er ist bei dir ja richtig redselig.

Wir schweigen, und als ich denke, dass sie eingeschlafen ist, ergreift sie wieder das Wort.

Ida: Du hättest ihn mal sehen sollen, wie er an deinem Bett saß, als ich von der Schule gekommen bin.

Das hätte ich wirklich gern gesehen.

Ida: Wie Romeo bei der vergifteten Julia. Er hat deine Hand gehalten. Wenn du geschrien hast, hat er deine Wange gestreichelt und geflüstert, dass er da ist.

Ich: Bist du jetzt schon in der Pubertät? Du redest immer übers Verliebtsein. Du bist doch gerade erst in die 5. gekommen.

Und da fällt mir ein, dass Ida wirklich gerade in die 5. Klasse gekommen ist. Wann war die Einschulung? Als ich das Fieber hatte. Ich bin so eine schlechte Schwester, ich habe sie gar nicht gefragt, wie es ist.

Ida: Ich bin mir sicher, dass er in dich verliebt ist.

Ida: Ich war noch nie verliebt, aber so, wie er dich angeschaut hat, als wir auf dem Krankenhausparkplatz zu seinem Auto gelaufen sind oder als du im Bademantel aus dem Bad kamst, schauen, glaube ich, nur Verliebte.

Ich: Ach, Ida. Das ist hier doch keine Liebesgeschichte.

Bifi-Roll-Dreierpack, Bifi-Roll-Dreierpack, Bifi-Roll-Dreierpack. Sonst nichts. Ferdinand, rate ich, sage »7,47 Euro« und schaue in Ferdinands emotionsloses Gesicht.

Ich: Hi.

Ferdinand: Alles in Ordnung bei dir?

Ich: Ja, wieso?

Ferdinand: Du warst in den letzten 2 Sitzungen nicht anwesend, ohne Entschuldigung, und an der Kasse saßt du auch nicht. Auf unsere Nachrichten hast du nicht geantwortet.

Ich: Ich war krank.

Ferdinand: Gut, dann bis morgen.

Ich: Bis morgen.

Ich dachte immer, niemand würde es merken, wenn ich nicht mehr da wäre.

Ida hat wieder den Tisch gedeckt mitsamt den überfahrenen Radieschen – ihr Signature Dish. Jeden Tag sehen sie ein kleines bisschen weniger überfahren aus. Mama hat bisher an allen 5 Abenden seit ihrem Krankenhausaufenthalt dabeigesessen, aber sie ist seit 4 Tagen komisch. Anders als am 1. Abend oder sonst, wenn sie uns am Tisch die Ehre erweist, redet sie kaum. Sie wirkt resigniert und gibt sich gar keine Mühe, eine Unterhaltung in Gang zu bringen oder den Schein aufrechtzuerhalten. Sie steht neben sich, isst apathisch 2 Scheiben Brot, 1-mal mit Käse, 1-mal mit Schinken, trinkt eine Tasse Kräutertee, ihr Blick geht ins Leere. Fragen beantwortet sie, wenn, dann einsilbig: Wie gehts? – Gut. Willst du wieder arbeiten? – Schulterzucken. Diese Routine wiederholt sie jeden Abend ohne Abweichung. Ich ahne, dass das nicht mehr die Nachwirkungen des Klinikaufenthalts sind, sondern der Beginn einer depressiven Phase, und habe gestern einen Termin bei Frau Meier für sie ausgemacht, damit sie wieder Antidepressiva bekommt. Irritierend ist, dass sie sich sonst in diesen Phasen komplett gehen lässt, nur rumliegt, nichts isst. Ich weiß nicht, was ich davon halten soll, aber diese abgestumpfte, roboterhafte Nahrungsaufnahme und dieser leere Blick machen mir Angst.

Ich: Alles gut, Mama?

Mama: Ja.

Ich stopfe mir ein überfahrenes Radieschen in den Mund und lege mir, während ich die bittere Knolle zerkaue, die Worte zurecht.

Ich: Mama, ich möchte mich vielleicht auf eine Stelle in Berlin bewerben.

Mama reagiert nicht, nimmt die 2. Scheibe Brot, belegt sie mit Schinken und isst sie mit 21 Bissen, ihr Blick ist auf den Tisch gerichtet und geht ins Leere.

Ich: Mama?

Mama: Hmm?

Ich: Ist es okay, wenn ich mich auf eine Stelle in Berlin bewerbe?

Mamas leerer Blick ist immer noch auf den Tisch gerichtet. Sie nimmt sich irritierenderweise eine 3. Scheibe Brot, belegt sie mit Käse und wiederholt ihr Brot-in-den-Mund-schieb-Prozedere, als hätte ich sie nicht angesprochen.

Ich: Mama?

Nach dem 11. Bissen macht sie eine Pause. Der Blick immer noch leer und die Stimme leise: »Geh nach Berlin. Du bist alt genug.«

Ich: Und würdest du das hier allein schaffen mit Ida?

Die Frage holt sie abrupt aus ihrer Trance, und ihr Blick trifft mich direkt. Auf einmal nicht mehr leer, sondern lodernd. Angriffslustig.

Mama: Ich habe das doch all die Jahre auch allein geschafft.

Scheißkuh.

Ida: Nein. Tilda hat das allein geschafft.

Mama: Hau doch einfach ab nach Berlin. Ich versteh nicht, was dein Problem ist.

Ich: Was ist mit Ida?

Mama: Ida ist 10. Mit 10 hat man früher Kinder großgezogen.

Ich: Nein, Mama. Mit 10 hat man früher noch keine Kinder großgezogen. Und es gibt auch einen Unterschied zwischen einem Kind, um das man sich sorgt, und einer alkoholkranken Mutter, um die man sich sorgt. Ich würde Ersteres wählen.

Mama: Tja, das ist hier aber kein Wunschkonzert. Ich kann dir aus eigener Erfahrung versichern, dass Kindergroßziehen kacke ist.

Ich: Du hast doch noch nie Kinder großgezogen, du hast sie nur bekommen.

Sie funkelt mich an. Ich funkele zurück.

Mama steht auf, geht und schlägt die Tür zu.

Ida zuckt, schaut zur Tür und dann zu mir.

Ich: Wenigstens hat sie das ein bisschen aus ihrer Starre aufgeweckt.

Ida: Sie braucht wieder Tabletten, oder?

Ich: Hab schon einen Termin bei Frau Meier ausgemacht.

Für Ida gehören die depressiven Phasen, Antidepressiva und Frau

Meier genauso wie die Wodkaflaschen zur Normalität. Sie kennt nicht die alte Mama, die ganz anders war, die ich aber auch fast nicht mehr kenne. Sie weiß sofort, was es bedeutet, wenn Mama diesen grauen, leeren Blick bekommt, nur herumliegt und nicht isst, nicht spricht. Sie weiß, dass Mama dann einen Termin bei Frau Meier und vor allem Tabletten braucht. Als es damals, nachdem mein Vater uns verlassen hatte, losging, dass sie diesen grauen Blick bekam, nur herumlag und nicht aß, nicht sprach, wusste ich nicht, was ich machen sollte. Sie wurde immer dünner und blasser. Ich wusste nur, dass ich ihr nicht helfen konnte, dass sie das Essen nicht aß, das ich ihr auf den Wohnzimmertisch stellte, dass sie ihre geliebten Disneyfilme, die ich ihr anmachte, nicht schaute. Ich wusste, dass jemand anderes ihr helfen musste. Also habe ich im Telefonbuch die Nummer von Frau Meier rausgesucht, der Hausärztin, die neben meiner Grundschule ihre Praxis hatte, in die ich immer ging, wenn ich geimpft wurde. Ich erklärte Frau Meier, dass es meiner Mutter sehr schlecht gehe, und die Ärztin kam eine halbe Stunde später in der Fröhlichstraße vorbei. Sie setzte sich zu der Patientin aufs Sofa, und ich sollte in mein Zimmer gehen, während sie sprachen. Mama bekam die Tabletten, und eine Woche später ging es ihr ein bisschen besser. Seitdem mache ich Termine bei Frau Meier aus, sobald es ihr wieder schlecht geht. Eine Psychotherapie kommt für sie nicht infrage, auch wenn Frau Meier ihr das immer wieder empfiehlt.

Ida und ich greifen beide gleichzeitig zu dem letzten überfahrenen Radieschen und müssen lachen. Wir lassen es liegen.

Ich: Die schmecken so scheiße, oder?

Ida nickt.

Ida: Wieso fragst du Mama, ob du nach Berlin darfst?

Ich: Wie meinst du das?

Ida: Wir fragen Mama nie, ob wir was dürfen.

Wie um ihre Aussage performativ zu unterstreichen, steht sie auf und holt das Glas Nutella aus dem Schrank.

Ich: Und soll ich dich fragen, ob ich nach Berlin darf?

Ida schmiert sich ein Toastbrot extradick mit Nutella, weicht dabei meinem Blick aus, steht auf, schiebt es ganz kurz in die Mikrowelle und sagt leise »Du darfst« mit dem Rücken zu mir, quasi zur Mikrowelle. Eigentlich darf sie diese selbst kreierte Leibspeise nicht zum Abendbrot essen, aber vielleicht kann ich ihr das jetzt nicht mehr verbieten. Sie setzt sich wieder mir gegenüber, klappt das Toast zusammen und nimmt einen großen Bissen. Erst dann schaut sie mich an, mit einem teuflischen Lächeln, und flüssige Nutella tropft ihr aus dem Mundwinkel.

Ich: Denkst du, dass du es schaffst alleine mit Mama?

Ida schaut mich mit vollem Mund an, mit dem braunen Nutellamund, kaut gemächlich, wackelt dabei mit dem Kopf hin und her, schluckt und nickt: »Ja.«

Ich glaube ihr und nicke. Ida schafft das, sie hat sich verändert, und ich frage mich, wann genau das passiert ist. Seit sie auf der neuen Schule ist? Eigentlich schon davor. Ich denke an die Müllsäcke, an die gedeckten Abendbrottische, daran, wie sie im Krankenhaus den Arzt begrüßt und unsere Mutter zurechtgewiesen hat und vor allem wie sie mich gesund gepflegt, Viktor zu Hilfe geholt hat. Natürlich habe ich das alles bemerkt und mich gefreut, aber ich habe mir angewöhnt, einzelnen Schritten nicht zu viel Bedeutung beizumessen, nicht zu viel Hoffnung in eine langfristige Veränderung zu stecken. Ich weiß, wie schnell es umschlagen kann, wie weit und mit welcher Wucht man nach einem Schritt in eine gute Richtung zurückgeworfen werden kann. Aber Ida ist nicht Mama.

Ida: Wann genau geht das in Berlin im nächsten Jahr los?

Ich: Im Januar?

Ida nickt, und ich sehe, dass sie einen Kloß hinunterschluckt und mehrmals blinzelt. Dass sie mich bestärkt, obwohl sie Angst hat und nicht will, dass ich gehe, lässt mich wiederum mehrmals blinzeln. Ida hat dann nur noch die Schule und das hier zu Hause, Mama. Ich frage mich, ob sie sich im Gymnasium wohl- und sicher fühlt. Sie hat bisher wenig davon erzählt. Wenn ich sie beim Abendessen frage, wie es in der Schule gewesen sei, sagt sie meistens nur: »Gut.«

Ich: Wie läufts eigentlich in der neuen Schule?

Ida: Gut.

Ich: Gut?

Ida nickt.

Ich: Hast du Freunde?

Ida: Ja, ich habe eine Freundin.

Ich: Wie heißt sie?

Ida: Samara. Wir gehen auch zusammen in die Kunst-AG.

Ich: Cool, das freut mich.

Ich wusste, dass ihr das Gymnasium besser gefallen würde.

Ida: Wie läufts mit Viktor?

Ich nehme mir dann doch das letzte überfahrene Radieschen, das genauso bitter schmeckt wie erwartet, und zucke mit den Schultern: »Keine Ahnung. Hab ihn nicht mehr gesehen seitdem.«

Unsere Nummern haben wir nie ausgetauscht, es hat sich irgendwie nicht ergeben, und Ida will ich nicht nach seiner Nummer fragen. Er kann sie ja auch fragen. Ein paarmal habe ich überlegt, einen Spaziergang in die Siedlung zu machen, und gestern war ich dann auf einmal in seiner Straße, obwohl ich eigentlich in den Wald wollte. Ich bin aber an dem Haus, vor dem seine G-Klasse stand, vorbeigelaufen, weil ich nicht wusste, was ich überhaupt von ihm wollte, und weil ich Angst hatte, dass er mich wieder wegschicken würde.

Ida: Er geht jetzt immer ins Hallenbad, vielleicht siehst du ihn ja dort.

Ida will heute Abend zum Schwimmtraining gehen. 2. Versuch. Spontan entscheide ich mich dazu, auch ein paar Bahnen zu schwimmen, obwohl ich mich eigentlich noch zu schwach fühle. Sein Auto steht nicht auf dem Parkplatz des Hallenbads. Als ich Ida von draußen durch die Scheibe in der Schlange eingereiht zwischen den anderen Kindern sehe und ich die Nervosität und Unsicherheit in ihren Gesichtszügen und ihren vorsichtigen Bewegungen erkenne, macht mein Herz einen Satz, und ein Regentropfen läuft mir über die Wange. Ida in ihrem rot-weiß gepunkteten Badeanzug. Die anderen Kinder tragen schlichtere Sportbadeanzüge und haben eine Schwimmhaube auf. Irgendwie wusste ich, dass sie es dieses Mal schafft.

Ich schwimme ein paar Bahnen, muss lange Pausen machen, und während einer Pause am Beckenrand sehe ich auf einmal Viktor auf dem Block stehen, der jemanden zu suchen scheint; ich verstecke mich schnell unter der Wasseroberfläche, tauche zum Grund, setze mich auf den Boden. Er schießt direkt auf mich zu, lächelt mich an, streicht mir über die Wange und schwimmt wieder davon. Ich bleibe sitzen, bis ich keine Luft mehr bekomme, stoße mich ab in Richtung Beckenrand und setze mich auf die Betonbank neben ein paar Helikoptermütter, die ihren Kindern zuschauen, schaue manchmal Ida, aber meistens Viktor zu. Nach der 22. Bahn steigt er aus dem Becken, sein Blick trifft meinen, er kommt zu mir und setzt sich neben mich. Wir haben seit dem Fieber nicht mehr gesprochen.

Ich: Ich dachte schon, ich hätte dich verschreckt und du wärst wieder verschwunden.

Er lacht trocken auf, schaut auf die digitale Uhr- und Temperaturanzeige an der Wand: 18:46, 26 °C, und murmelt leise »Ohne dich wäre ich schon längst von hier verschwunden«, und danach lauter: »Du hast übrigens ein paarmal meinen Namen gerufen.«

Er grinst mich unverschämt an.

Ich habe mir das Wort zurechtgelegt, aber es will nicht raus. Einfach. Ganz. Schnell. 1 Wort. 5 Buchstaben.

Ich: Danke.

Falls er die unnötige Frage stellt, »Wofür?«, bin ich auch vorbereitet.

Viktor: Gerne.

18:51, 26 °C.

Er legt den Arm um mich, ganz vorsichtig, als hätte er Angst vor einem Stromschlag. Seine rechte Hand liegt auf meiner rechten Schulter, und ich lehne meinen Kopf auf seine rechte Schulter. Und so sitzen wir 23 Minuten und schauen Ida beim Schwimmtraining zu, wie die Kinder kraulen, Rückenschwimmen üben und am Ende auf Matten Fangen spielen, wie Ida laut lacht, wie sich die Kinder am Ende mit Faust verabschieden und wie Ida dann zu ihrem Rucksack rennt, die Tauchringe rauszieht und in ihrem rot-weiß gepunkteten Badeanzug zu uns rennt.

Ida: Hi Viktor.

Viktor: Hi Ida.

Ida: Bleiben wir noch ein bisschen?

Ich: 10 Minuten.

Das ist das Startkommando für ihre Tauchtrance

Wie 2 Übermütter schauen Viktor und ich Ida beim Tauchen zu.

Viktor: War sie schon 1-mal am Meer?

Ich: Nein.

Wir schweigen und schauen Ida weiter zu.

Viktor: Hast du dir schon mal überlegt, wie sie durchdrehen würde, wenn sie das Meer sehen würde?

Ich: Jeden Tag.

Wir schweigen.

Viktor: Wollen wir mal mit ihr ans Meer fahren?

Ich schaue ihn an, denke an den Vorschlag seines Bruders damals, mit der Familienkutsche über Slowenien nach Kroatien zu fahren, über Ljubljana nach Piran ans Meer und dann an der Küste entlang nach Kroatien. Pula, Medulin, Rijeka. Als ich von dem Unfall und dem Tod Ivans und seiner Familie erfuhr, schrieb ich, nachdem ich einen Tag lang regungslos auf meinem Bett gesessen hatte, die Städtenamen mit Edding auf die Innenseite meines Kleiderschranks. Ich wollte seine Worte und die Route nicht vergessen. Ljubljana, Piran, Pula, Medulin, Rijeka. Ich frage mich, ob es falsch wäre, mit Viktor das zu tun, was ich eigentlich schon mit seinem Bruder vorhatte, aber es ist ja nicht dasselbe, und Ivans Route werde ich mir noch vorbehalten. Ich bin mir sicher, dass es okay für Ivan wäre, wenn ich mit seinem Bruder und meiner Schwester ans Meer fahren würde, dass er es sogar wollen würde, und ich will es auch.

Ich möchte aufspringen und »Ja« brüllen und nicke. Er sieht das Nicken nicht, weil er zur Uhr- und Temperaturanzeige schaut. Aber ich will nicht »Ja« sagen, weil ich Angst habe, dass meine Stimme bricht.

»Ist das ein Nein?«, fragt Viktor und schaut zu mir.

Ich wechsle vom Kopfnicken zum Kopfschütteln und habe jetzt Angst, dass er es missversteht, und wage es dann deshalb doch zu sprechen: »Ich will mit dir und Ida ans Meer fahren.«

Meine Stimme bricht. Ich wusste es.

Eine Dose Ananasscheiben, Gut&Günstig Leo Crisp, Gut&Günstig Farfalle mit Käse-Kräuter-Sauce, Toastbrot, Vollmilch, Wackelpudding grün, Dr. Oetker Vanillesoße, Scheibletten-Käse, Kochschinken, ein Bund Radieschen. Ida, rate ich, sage »13,01 Euro« und schaue in das fröhliche Gesicht von Ida. Ich bin beeindruckt. Sie gibt mir das Geld wie immer passend und wortlos in die Hand und packt die Sachen sehr ordentlich und bedacht in den Einkaufswagen.

Ich: Ich hätte dir doch eine Liste schreiben können.

Ida: Wenn ich einkaufen gehe, schreibe ich die Liste.

Sie nimmt den DIN-A5-großen karierten Einkaufszettel aus der Halterung am Einkaufswagen und zeigt ihn mir. Ida ist, glaube ich, die 1. Kundin, die diese Einkaufszettel-Halterung benutzt. Sie hat meine lilafarbene karierte Hemdjacke an, und in der linken Brusttasche steckt ein Kugelschreiber. Wie bei einer Ärztin. Und ihr Minitaschenrechner, ich wusste es.

Ida: Ich habe auch keine Lust mehr auf Spaghetti mit Tomatensauce. Wusstest du, dass es von Gut&Günstig auch Tiefkühlgerichte wie ... Warte.

Sie schaut auf ihre Liste.

Ida: ... Huhn Shanghai, Fettuccine mit Käse-Sahne-Sauce, Bami Goreng oder Paella gibt? Wieso holst du das nie?

Ich: Zu exotisch?

Ida: Darf ich das beim nächsten Mal mitnehmen?

Ich: Ja. Ist ja deine Liste.

Die zufrieden lächelnde Ida klemmt den Zettel wieder in die Halterung.

Ida: Sehr gut.

Ida: Bis nachher.

Ich: Tschüss.

Während ich die nächsten Sachen übers Band ziehe, beobachte ich Ida, wie sie die Einkäufe draußen in ihren Snoopy-Rucksack stopft, die Liste aus der Halterung entfernt, ganz klein faltet, in die rechte

Brusttasche stopft und den Wagen einreiht. Ich beobachte Ida, wie sie mit dem prall gefüllten Rucksack, der Hemdjacke, die ihr bis zu den Kniekehlen reicht, und den frisch gewaschenen, wieder weißen Chucks den Heimweg antritt, frage mich, wie Huhn Shanghai wohl schmecken wird, und die Entscheidung, die ich in diesem Moment treffe, fühlt sich gut an.

Professor Klein: Und haben Sie es sich überlegt?
Ich denke an Ida und an Huhn Shanghai und an ihre Einkaufsliste, auf der sogar Mandarinen standen, und ich denke an Berlin und an Mathematik und an die Unibibliothek und an eine Einzimmerwohnung in der Stadt, vielleicht mit einem kleinen Balkon und sage: »Ja.«
Professor Klein: Und?
Ich: Ja.
Professor Klein: Schön.
Ich: Ja.

Als ich die Fröhlichstraße entlanglaufe, sehe ich Idas Lockenkopf im Fenster, der verschwindet, als ich gerade winken will. In der Küche wartet kein gedeckter Abendbrottisch, sondern 3 Teller mit jeweils einem Toast Hawaii, gekrönt von einem überfahrenen Radieschen. Die Köchin sitzt am Tisch und schaut zu mir auf.
Das 1. Mal, dass Ida gekocht hat, sofern man das Kochen nennen darf. Und das 1. Mal, dass Mama nicht am Tisch sitzt seit 5 Tagen.
Ida: Willst du sie holen?
Ich gehe ins Wohnzimmer und setze mich neben Mama, die auf dem Sofa liegt.
Es läuft »Das Perfekte Dinner«, das diese Woche in Köln stattfindet. Heute kocht Philippa (27). Ihre Wohnung sieht nicht so aus, wie ich mir die Wohnung einer 27-Jährigen vorstelle. Hohe Betondecken, große Fenster, alles passt zusammen, hochmodern, minimalistisch. Alles beige. Irgendwie unlebendig. Ein Wort.

Ich: Entschuldigung.

Philippa ist Lehramtsstudentin. Ihre Schnippelhilfe ist ihr Verlobter. Mark. Mark ist viel älter als Philippa und sieht in etwa so lebendig aus wie Philippas Inneneinrichtung.

Mama: Entschuldigung.

Philippa geht auf den Balkon und pflückt Koriander und Chilischoten. Von Philippas Balkon hat man Ausblick auf den Kölner Dom.

Philippa erzählt, dass sie Japan liebt.

Ich: Am Montag um 10 Uhr hast du einen Termin bei Frau Meier. Du brauchst wieder Tabletten, oder?

Mama nickt.

Mama: Danke.

Die Gäste lesen das Menü der Gastgeberin vor:

Philippas Motto: »UMAMI«. Vorspeise: Zwiebeln mit Miso-Butter, Urkarotten, Limonen-Seitlinge Yakitori-Art, Hauptspeise: Tantanmen-Ramen mit kooperativem Gemüse, Tamago, Tofu-Crumble und Crispy-Chili-Oil, Nachspeise: Financiers, Salzkaramell-Eis.

Ich: Ida hat gekocht.

Ich: Toast Hawaii.

Mama lacht kurz auf.

Ich: Kommst du?

Mama: Hebt mir 1 auf.

Am Sonntag sitzen Ida und ich in der Küche, Mama liegt auf dem Sofa, der Fernseher läuft. Ida ist seit vorgestern Abend in einen neuen Roman vertieft, während ich meine Masterarbeit schreibe. Sie hat nun alle Bücher durch, die ich ihr ausgeliehen habe, und Freitag ist sie für die Rückgabe zum 1. Mal in die Stadtbibliothek gegangen und hat sich gleich mit neuem Stoff ausgestattet. Als ich sie danach auf ihrem Nachhauseweg mit der vollen Tüte durch das Fenster sah, wie sie 2 Schritte oder vielmehr 2 Sprünge pro Stein nahm, bin ich auch fast in die Luft gesprungen.

Ich: Ist das Buch gut?

Ida schaut nicht auf und nickt nur. Ida schaut noch nicht mal auf, als Viktors Schiff vor dem Haus parkt.

Ich: Was macht der denn hier?

Ida schaut kurz auf, aus dem Fenster, grinst mich an und widmet sich dann wieder ihrem Buch.

Ich laufe nervös zur Tür.

Und da steht er in der dunkelblauen Carhartt-Jeans und in einem lilafarbenen Kapuzenpulli. Seine Haare sind noch nass und verstrubbelt, und er wirkt trotz seines überheblichen Grinsens irgendwie aufgewühlt. Ein bisschen, als ob er auf der Flucht wäre.

Ich: Hi.

Viktor: Lust auf einen Ausflug?

Ich: Wohin?

Viktor: Das siehst du dann.

Ich hasse Überraschungen.

Ich: Okay.

Ida will natürlich nicht mit.

Die Sonne scheint, keine Wolke ist am Himmel, und die Luft ist klar, kalt und riecht nach Herbst. Wo könnte er hinfahren? Vielleicht an den See? Kaffeetrinken in der Stadt? Nein, er fährt nicht Richtung Stadt. Er fährt ins Industriegebiet. Dort gibts als Ausflugsziel eigentlich nur McDonald's.

Ich: Gehen wir zu McDonald's?

Viktor lacht.

Und dann weiß ich, wohin wir fahren.

Wie Barad-dûr, die Festung Saurons, ragt das Hochhaus am Stadtrand aus dem Industriegebiet heraus. Russenklotz oder Russenturm haben wir das Gebäude immer genannt. Ich war noch nie dort. In der Grundschule wurde uns von unserer Klassenlehrerin Frau Hoffmann gesagt, dass wir die Gegend, insbesondere den Block, meiden sollten. Das sagte sie, obwohl sie wusste, dass unsere Mitschülerin Natasha dort wohnte, und obwohl das Haus so oder so nicht gemieden werden musste, da es am Rand des Industriegebiets und direkt an der Autobahn liegt. Ich kenne keine Bewohner außer Natasha, Viktor und Ivan. Ich kenne aber die Geschichten, die man sich über das Haus und die Bewohner erzählt. Dass dort nur Russisch gesprochen wird, dass dort Kämpfe mit Kampfhunden stattfinden, dass in dem Park, der das Haus umgibt, Heroin gespritzt wird. Marlene wollte unbedingt mal hin, um sich das Ganze anzuschauen, aber ich war dagegen. Ich hätte auch nicht gewollt, dass Leute in die Fröhlichstraße kommen, um sich das traurige Haus darin anzuschauen, in dem unter anderem die Alkoholikerin mit der Tochter ohne Vater wohnt, und außerdem hatte ich als Kind einmal zufällig diesen nachhaltig verstörenden Bericht über einen Kampfhund in irgendeiner deutschen Stadt gesehen, der ein Baby auf einer Bank totgebissen hatte. Was will er dort?

Und dann parken wir doch vorm McDonald's.

Ich: Ich dachte kurz, dass wir zum Hochhaus fahren.

Viktor: Wir gehen auch zum Hochhaus, aber wir parken hier, und ich hole mir noch einen Kaffee. Willst du auch einen?

Ich: McSundae Caramel.

Wir steigen aus.

Ich: Willst du da nicht parken, weil du Angst hast, dass dein Auto zerkratzt wird?

Viktor lacht und schüttelt den Kopf.

Viktor: Ihr seid alle so kaputt mit euren Vorurteilen.

Ich: Warum parkst du dann hier?

Er zuckt mit den Schultern.

Viktor: Weil es irgendwie unhöflich und protzig wäre.

Wir laufen mit Kaffee und Eis zu dem Turm, und ich habe keine Lust zu reden, weil ich sowieso irgendwas Falsches sagen würde. Der Park, den wir durchqueren, sieht eigentlich ganz normal aus. Sogar recht gepflegt. Bei der Tischtennisplatte hängen Jugendliche mit Musik und Gras ab, und vor dem Haus spielen Kinder Fußball. Kämpfende Kampfhunde sehe ich keine. Der graue Koloss sieht von Nahem noch riesiger aus, ich bleibe kurz stehen und schaue nach oben. An auffallend vielen Balkonen hängen Blumen, die man von Weitem natürlich nicht sieht. Drinnen ist es grau, trist und beengend. Wie krass muss der Umzug in das weiße Reihenhaus vor allem für die Kleinen gewesen sein? Ich folge ihm in den Aufzug, und die grellen gelben Wände darin brüllen uns an. Jedes der 32 Stockwerke hat ein Tiersymbol. Irgendwie passen die Tiersymbole nicht zum Rest. Das ist hier ja kein Kindergarten.

Ich: In welchem Stockwerk habt ihr gewohnt?

Viktor: Spatz.

Ich: Süß.

Bei der 32, beim Fuchs, steigen wir aus. Wir stehen in einem engen grauen Gang, er schließt eine Tür auf, wobei ich ihn nicht frage, wieso er den Schlüssel noch immer hat, und wir betreten einen kleinen Raum, der voller Werk- und Putzzeug ist. Wir stehen einander gegenüber, nicht mal 60 Zentimeter sind zwischen uns, und ich schaue ihn fragend an. Was wird das? Will er hier in diesem engen, vollgestopften Raum mit mir Kaffee trinken und Eis essen, oder will er mich küssen? Hat der Raum irgendeine besondere Bedeutung für ihn? Erzählt er jetzt endlich mal was von sich? Hat er hier seine Freundinnen verführt mit seinen eisblauen Augen und diesem Grinsen, das sich auf seinem Gesicht ausbreitet und das mich vollkommen kaltlässt. Ich suche irgendeinen bissigen Kommentar, aber mein Kopf will nicht. Ich weiß nicht, wie lange wir so dastehen. Aber irgendwann dreht er sich noch immer grinsend wortlos um und nimmt eine Stange, die an der Wand lehnt, öffnet mit ihr eine Luke an der Decke, zieht eine Dachbodentreppe herunter und klettert hoch. Kalte Luft strömt in den Raum. Ich klettere ihm hinterher.

Wir stehen auf dem Dach circa 100 Meter über der Erde, und ich halte den Atem an.

Viktor: Von hier oben sieht's ganz schön aus, oder?

Ich nicke.

Ich bin überwältigt von dem, was sich unter mir ausbreitet, und erlaube mir den Gedanken, dass mir vielleicht doch Großes bevorsteht. Der Himmel ist hellblau-rosa.

Viktor: Ivan war 10 und ich 14, als unser Vater uns das Dach gezeigt hat. Er meinte: »Wenn die da unten wüssten, dass ausgerechnet wir die beste Aussicht haben.«

Er redet leise, und ich muss mich konzentrieren, damit seine Worte nicht ungehört mit dem kühlen Herbstwind davonfliegen. Ich schaue ihn an, wie er in den Abendhimmel schaut.

Viktor: Ivan hatte damals keine leichte Zeit in der Grundschule, und die Fahrt in das Fuchs-Stockwerk war die Reaktion unseres Vaters darauf.

Ich denke an Mufasa und Simba und frage mich, was Viktors Vater seinen Söhnen zu dieser Aussicht gesagt hat.

Ich: Was hat er gesagt?

Als ich schon denke, dass er meine Frage nicht beantworten wird, tut er es doch.

Viktor: So was wie: »Erkennt diese Außenseiter-Perspektive als eure Stärke. Ihr habt vielleicht kein richtiges und schönes Zuhause wie die da unten, aber umso mehr müsst ihr die Möglichkeiten, die ihr hier bekommt, nutzen und euren Platz finden.«

Ivan sprach nie über seine Herkunft. Ich fragte ihn 1-mal, wann sie hierhergezogen seien, und er zuckte nur mit den Schultern.

Ich: Wann seid ihr hierhergezogen?

Viktor: Ivan war 5 und ich 9.

Wenn Viktor ausnahmsweise mal redselig ist, habe ich Angst, zu viele Fragen zu stellen.

Ich: Und warum?

Viktor: Hauptsächlich unseretwegen, denke ich. Sie wollten uns eine bessere Zukunft ermöglichen.

Ich frage mich, ob jetzt der richtige Zeitpunkt ist, ihm das mit dem letzten Abend von Ivan zu erzählen, und sehe 2 große Vogelschwärme, die sich einander annähern und vereinen, um gemeinsam in den Süden zu ziehen. In welches Land sie wohl fliegen? Ich nehme Viktors Hand, weil es richtig so ist, und drücke sie leicht.

Damals war ich besessen von dem Film *Amy und die Wildgänse*, und ich weiß nicht, ob ich mir die Wildgänse oder diesen verrückten Vater Robert mehr wünschte.

Ich: Denkst du, dass sich die Vögel auf den Süden freuen?

Viktor: Auf jeden Fall. Das ist für die bestimmt wie Urlaub.

Ich: Aber warum kommen sie immer wieder zurück?

Er zuckt mit den Schultern.

Viktor: Hier kann es ja auch ganz schön sein, oder?

Ich nicke.

Wir setzen uns ganz an den Rand und schauen den Vögeln zu.

Immer mehr von ihnen sammeln sich am Himmel in verrückten 3-D-Formationen, als ob sie das gerade nur für uns machten. Eine magische Aufbruchsstimmung liegt in der Luft.

Mein Eis kann ich nicht löffeln, weil meine Hand immer noch in seiner liegt. Und manchmal muss man sich eben entscheiden. Ich lege das Eis auf den Boden.

Ich: Ich bewerbe mich auf eine Stelle in Berlin.

Viktor: Was für eine Stelle?

Ich: Promotionsstelle Wahrscheinlichkeitstheorie.

Viktor: Cool.

Wir schweigen wieder.

Viktor: Ich räume das Haus aus. Habe heute angefangen.

Ich: Cool.

Cool? Ich bin so doof.

Ich: Also nicht cool. Aber gut. Richtig.

Ich: Soll ich helfen?

Viktor zuckt mit den Schultern.

Die Sonne geht unter, und der Himmel ist nun knallpink. Ich konzentriere mich darauf, angesichts dieser Schönheit das Atmen nicht zu vergessen. Ohne die Sonne ist es richtig kalt. Das bisschen Eis in meinem Bauch hat mir den Rest gegeben. Mir ist scheißkalt, aber ich will nicht da runter. Ich will hier oben bleiben. Von hier oben wirkt das da unten alles so klein. Mama ist von hier oben nur ein kleiner Punkt unter vielen, der ganz egal wird, wenn gleichzeitig am knallpinken Himmel Schwärme von Zugvögeln in den Süden aufbrechen. Von hier oben kann man nicht erkennen, ob ein Punkt Alkohol oder Saft trinkt, ob er überhaupt irgendwas trinkt, und man hört auch nicht, was der Punkt sagt. Ist eben nur ein Punkt.

Viktor legt seinen Arm um mich, und ich entscheide nun endgültig, hier oben zu bleiben. Ich schmiege mich an ihn, lege meinen Kopf in seine Halsbeuge und überlege, warum ich ihn nicht einfach küsse, wenn ich es doch will.

Jetzt. Jetzt. Jetzt.

Ich löse mich aus der Umarmung, nehme sein Gesicht in meine Hände, er zuckt zusammen. Seine Haut ist warm und stoppelig.

Viktor: Du bist eiskalt.

Ich schaue mir seine Augen nun endlich mal von Nahem an.

Ich: Du bist eiskalt.

Er legt seine Hand auf meine Wange. Sie ist warm. Ich nehme meine Hände von seinem Gesicht, verschränke meine Arme vor meiner

Brust und funkle ihn herausfordernd an. Seine Hand liegt noch auf meiner Wange. Er schaut nicht auf meine Lippen, er schaut in meine Augen, er will mich nicht küssen. Ich schaue ihn mit hochgezogenen Augenbrauen an.

Ich: Gehen wir wieder runter?

Sein Daumen streicht die Narbe unter meinem Auge entlang, er lächelt, sein Gesicht nähert sich meinem wieder an. Ganz langsam. Und er gibt mir einen Eskimokuss. Natürlich. Jetzt reichts. Ich nehme sein Gesicht fest in meine Hände und küsse ihn richtig. Mein Herz flattert. Ich wusste es. Er erwidert den Kuss und umarmt mich. Danach schauen wir uns Nase an Nase an. Zwischen seinen Augen sind ein paar Sommersprossen, die man von Weitem gar nicht sieht.

Viktor: Ist die Narbe unter deinem Auge wirklich von einem Fahrradunfall?

Ich schüttle den Kopf.

Ich: Meine Mutter hat eine Cornflakes-Schüssel nach mir geworfen.

Er streicht mit dem Daumen über die Narbe. Es ist inzwischen dunkel, mir ist nicht mehr kalt, und ich bin glücklich, und mein Herz schmerzt.

Abends liege ich auf meiner Matratze, der Herbstwind fällt auf mich, ich denke an das Hochhaus, an den Ausblick vom Hochhausdach, an den hellblau-rosa und dann knallpinken Himmel, an die sich vereinenden, in den Süden ziehenden Vogelschwärme, an Mufasa und Simba, an Viktor, an seinen Kuss, und ich überlege, wie der Wind am Meer riecht. Salzig. Und nach Algen. Sand fliegt mir in die Augen.

Damals, nachdem mein Vater gegangen war und ich oft schlecht geschlafen und geträumt habe, versuchte ich, meine Träume zu beeinflussen, indem ich mir abends im Bett kurz vorm Einschlafen schöne Geschichten ausmalte. Ich stellte mir vor, wie Mama und ich einen Ausflug in den Hochseilgarten machen oder wie wir mit dem Flugzeug nach Mallorca fliegen, wo wir in einer Finca wohnen, die, obwohl sie direkt am Meer liegt, einen Pool hat. Es funktionierte oft, und ich hatte schöne Träume, aber manchmal wurden es auch schreckliche Albträume, in denen ich Mama am Flughafen verlor, dann in das falsche Flugzeug stieg und allein in einem stärker werdenden Schneesturm den Mount Everest besteigen musste und so ein Scheiß. Später versuchte ich, auch Idas Träume zu beeinflussen. Anstatt Bücher vorzulesen, erzähle ich ihr heute noch manchmal zum Einschlafen Geschichten, in denen sie die Protagonistin ist. Sie ist zum Beispiel eine aufgrund ihrer besonderen Zauberkräfte von einem Monster entführte Elfe, die von einem jungen Hexer befreit wird und sich zusammen mit ihm und ihren Riesenfreunden in dem Zauberwald auf die Suche nach ihrer Elfenfamilie macht. Ich weiß nicht, ob es funktioniert. Jedenfalls bestand sie eine Zeit lang fast jeden Abend auf einer Ida-Geschichte, und sie schläft auch jetzt noch vor dem Ende ein, wobei ich auch erst aufhöre zu erzählen, wenn sie eingeschlafen ist.

Heute stelle ich mir vor, wie Viktor, Ida und ich einen Ausflug ans Meer machen, während der Schlaf sich um meinen Körper hüllt. Ida planscht im Uferbereich. Ich sitze im Wasser und lasse mich von den Wellen schaukeln. Viktor krault aufs Meer. Sein Schwimmstil wirkt im grauen, wütenden Meer noch eindrücklicher. Wie ein Hai gleitet er durch die unruhigen, kalten Wellen, bis er sich plötzlich aufrichtet und auf einer Sandbank steht. Er steht auf der Sandbank, schaut aufs offene Meer, ich schaue auf ihn, wie er dasteht, aufs offene Meer schaut, und da sind fette Libellen, die nicht nur in der Magengegend gegen meine Bauchwand fliegen, sondern im ganzen Körper ihr Unwesen treiben. Sie rasen durch meine Blutbahnen, bringen mein Herz zum Pumpen, dringen in meinen Kopf ein, machen ihn ganz leicht, bleiben dabei in meinem Hals stecken, und mein Atem stockt. Sie fliegen durch meine Beine in meine Füße, kitzeln meine Fußsohlen von innen, zaubern mir damit ein Lächeln ins Gesicht, gegen das ich mich nicht wehren kann. Ich bin komplett wehrlos.

Mein Körper ist wie elektrisiert, und ich habe nichts mehr unter Kontrolle. Verzweifelt versuche ich, die Libellen zu zählen, aber das ist unmöglich. Es sind zu viele. Ich habe noch nie so etwas Schreckliches und Wunderbares gefühlt. Es ist kaum auszuhalten, aber ich will nicht, dass es aufhört. Viktor dreht sich um und lächelt zurück.

Ich schließe meine Augen. Morgen erzähle ich ihm das mit Ivan, auch wenn ich Angst habe und mir schlecht wird, wenn ich daran denke.

Die Bewerbung, die 3 Monate im Entwürfe-Ordner lag, liegt jetzt im Gesendet-Ordner. Beflügelt von diesem längst fälligen Mausklick fahre ich zu dem traurigen Haus. Ein Obi-Anhänger steht vor der Tür. Ein dunkelgrünes Kinderfahrrad und ein kleines rosafarbenes mit einem Baby- bzw. Puppensitz auf dem Gepäckträger lehnen an dem Anhänger. Ich überlege, wieder umzukehren. 3 Minuten stehe ich vor dem Klingelschild und frage mich, wieso da immer noch »Familie Wolkow« steht.

Er öffnet die Tür. Barfuß. Boxershorts. Weißes, dreckiges Shirt. Verstrubbelt. Augenringe. Fährt sich durch die Haare.

Ich: Ich wollte helfen.

Viktor: Du musst nicht helfen.

Ich: Ich will aber.

Er steht immer noch in der Tür, als ob er den Eingang vor fremden Eindringlingen wie mir beschützen muss.

Ich: Ist dir lieber, wenn ich gehe?

Ein Teil von mir hofft, dass er Ja sagt.

Viktor: Ich weiß nicht.

Ich zwänge mich an ihm vorbei: »Dann finden wir's heraus. Du kannst mich jederzeit rausschmeißen.«

Die Bilder im Flur hängen nicht mehr. Da sind nur noch die fast nicht sichtbaren Löcher, in denen einst die Nägel steckten, an denen die Bilder der Familie Wolkow hingen. Wohn- und Esszimmer sind noch leerer und trauriger als bei unserem letzten Besuch. Sofa, Fernsehtisch, Regal, Esstisch und Stühle stehen noch da, aber alles leer. Bilder, Bücher, DVDs und sonstiger Kram, der auf Menschen verweist: weg. Alle Fenster und Türen sind geöffnet, und kalter Herbstwind weht durch das Haus. Letzte Nacht gab es das 1. Mal Frost, und es ist eiskalt hier drin.

Viktor: Im Prinzip ist es ganz einfach. Wir schmeißen alles in den Anhänger, den ich zum Recyclinghof fahre, die Möbel habe ich auf eBay-Kleinanzeigen eingestellt.

Im Prinzip ist es ganz einfach.

Viktor: Zum Glück haben sie nicht so viel Zeug angesammelt, da sie nur ein Jahr hier gelebt haben und davor wenig Platz hatten. Zum Glück.

Ich: Und wohin kommen die Sachen, die du aufheben möchtest?

Viktor: Die kommen in den großen Karton.

Der große Karton thront in der Mitte des Wohnzimmers wie ein Sarg. Ich gehe vorsichtig auf ihn zu, als könnte ein böses bissiges Tier darin auf mich warten, und schaue hinein. Da sind die Bilder, die an der Wand hingen, zuoberst das Einschulungsbild von Nika. Nika steht in einem roten karierten Kleid mit ihrer blauen mit Buchstaben beklebten Einschulungstüte und mit einem rosafarbenen mit Röschen bedruckten Scout-Schulranzen auf dem Rücken vor der Tafel. Ihr weißblondes Haar ist zu 2 Zöpfen geflochten, und ihre blauen Augen strahlen in die Kamera. Neben der eingeschulten Nika: eine Sonne aus Window Color, ein Kochbuch, eine Stofftierrobbe.

Ich will irgendwas Unverfängliches sagen wie »Wo fangen wir an?« oder »Mit Window Color habe ich früher auch gemalt«, aber das wäre blöd. Und so stehen wir hier schweigend nebeneinander in diesem traurigen, windigen Haus, vor diesem traurigen Karton. Es riecht nach frischer Oktobersonne, und ich überlege, wie Window Color gerochen hat, weil ich den Geruch damals so sehr mochte.

Vielleicht sollte ich etwas Aufmunterndes sagen wie »Alles wird gut« oder »Der Schmerz wird weniger«, aber das wäre irgendwie noch blöder, und woher soll ich das denn auch wissen.

Ich: Mit Window Color habe ich früher auch gemalt.

Der Geruch. Ich kann mich einfach nicht an ihn erinnern. Ich weiß nur, dass das so Tuben waren, und oft sind sie vertrocknet wie Nagellack, und dann konnte man sie nicht mehr benutzen. Als Kind habe ich so ein Window-Color-Set mal zu Weihnachten von meinem Vater bekommen. Gebastelt habe ich zwar nie gern, aber Window Color war irgendwie ganz cool. Wahrscheinlich wegen des Geruchs.

Als mein Vater weg war, habe ich dann aufgehört mit Window Color. Als er ein neues Kind bekommen hat, habe ich alle Geschenke von ihm weggeschmissen, einschließlich der Window-Color-Tuben und der von meinem Fenster abgezogenen Bilder.

Ich: Gibt es hier im Haus irgendwo noch Window Color?

Viktor schaut mich skeptisch an.

Viktor: Ja, ich denke in Nikas Zimmer.

Also fangen wir ausgerechnet mit Nikas Zimmer an, dabei wollte ich die Kinderzimmer und insbesondere Ivans Zimmer meiden oder nur im betäubten Zustand betreten.

Schock. Nikas Zimmer ist überhaupt nicht leer. Es ist voll und wirkt bewohnt, als würde sie gleich von der Schule kommen. Auf dem Teppich liegen noch Barbie-Puppen, ihr Bett ist mit Prinzessin-Lillifee-Bettwäsche bezogen, und es sind so viele Stofftiere darauf, dass eigentlich kein Kind mehr in das Bett passt. Der mit Röschen bedruckte Scout-Schulranzen steht neben dem Schreibtisch. Offen. Daneben der passende Sportbeutel. Schläppchen liegen auf dem Boden. Der Diddl-Maus-Papierkorb ist voll. Ich bin sicher, dass Viktor hier noch nichts angerührt hat, und nur die dicken Staubschichten auf dem Schreibtisch und im Regal weisen darauf hin oder schreien vielmehr, dass Nika nicht gleich von der Schule kommen wird. Und auch nicht morgen.

Die Fensterscheibe ist fast vollkommen mit Window-Color-Werken bedeckt, der Kleiderschrank mit Stickern beklebt und der Schreibtisch mit Buntstiften bemalt. Überall hat Nika ihre Spuren hinterlassen.

Viktor zieht am Schreibtisch eine Schublade auf. Eine beachtliche Window-Color-Sammlung. Ich nehme die gelbe Tube, öffne sie und rieche daran. Lecker. Nagellackentferner, Benzin, Terpentin und Window Color. Ich hatte schon immer eine Schwäche für stechende, giftige Gerüche.

Viktor: Willst du die haben? Für Ida?

Ich: Ja.

Auf dem Schreibtischstuhl sitzt eine große Handpuppe aus Stoff. Sie hat ein rot-weiß gestreiftes T-Shirt und eine blaue Hose an, rotes Haar.

Viktor: Das ist Lotta.

Irgendwie habe ich das Gefühl, sie begrüßen zu müssen.

Lotta hat einen genähten Riss an der Backe. Eine Narbe.

Ich: Hallo Lotta?

Lotta antwortet nicht.

Viktor: Nika hat sie zum 5. Geburtstag bekommen, und sie war wie ein weiteres Familienmitglied. Nicht nur für Nika.

Ich schaue Lotta an, sie lächelt freundlich, ich lächle zurück.

Viktor: Sie hat sie überall mit hingeschleppt. Wenn sie mal nicht dabei war bei einer Familienfeier oder so, kam immer von irgendjemandem die Frage »Wo ist Lotta?«. Dann hat Nika unserem Vater einen bösen Blick zugeworfen. Er mochte die Puppe nicht, sie war ihm unheimlich, und vor allem hatte er Angst, dass Nika von den anderen Kindern ausgeschlossen werden würde, wenn sie mit einer Stoffpuppe auf ihrem Gepäckträger durch die Gegend fuhr.

Ich mag Nika und wünschte, ich hätte sie kennengelernt.

Ich: Was ist da passiert?

Viktor schweigt. Ich wusste es.

Viktor: Sie ist mit der Narbe davongekommen.

Lotta kommt in den traurigen Karton. Der Rest muss weg. Wir reden nicht, während wir in Rekordgeschwindigkeit mit Wäschekörben das Zimmer leer räumen.

Und genauso machen wir es in Sashas Zimmer und in dem Schlafzimmer seiner Eltern. Wie Maschinen, hoch, runter, hoch, runter. Wir sind in Trance, bis wir in Ivans Zimmer stehen. Es ist recht leer im Vergleich zu Sashas und Nikas Zimmern. Und ordentlich. Es liegt nichts herum. Bett, hellblaue Bettwäsche, Schreibtisch, Kleiderschrank, Regal. In dem Regal ein paar Kappen, ein paar Bücher, 2

Schuhkartons. Ich trete auf das Regal zu. Viel Dostojewski, Hesses *Demian*, Kafka natürlich, Kunderas *Abschiedswalzer*, Döblins *Berlin Alexanderplatz*, Nietzsches *Zarathustra* und *Menschliches, Allzumenschliches*, Rilkes *Die Aufzeichnungen des Malte Laurids Brigge*, Tolstois *Krieg und Frieden* und *Anna Karenina*, Raabes *Die Akten des Vogelsangs*, Schnitzlers *Leutnant Gustl*, *Fluchtpunkt*. Alles nach Alphabet sortiert, abgesehen von einer Ausnahme. Neben Peter Weiss steht *Habenichtse* von Katharina Hacker. Ich nehme das Buch in die Hand. Das hatte ich ihm gegeben, weil er immer nur alte Texte las. Wenn wir am See waren, hatten Ivan und ich immer was zum Lesen dabei, er sogar einen Bleistift, mit dem er sich Passagen anstrich. Er las seine Russen und seinen Jahrhundertwende-Kram, ich meistens Gegenwartsliteratur. Marlene beschwerte sich oft, dass wir so langweilig seien. Manchmal tauschten wir ein Buch, so wie dieses hier, ich bekam dafür Dostojewskis *Spieler*. Ich schlage den Roman auf. Viele Stellen sind unterstrichen. Ich wusste nicht, dass er es gelesen hatte. Auf S. 36 ist eine Stelle dick unterstrichen, und daneben steht »Mit Tilda diskutieren«. Ich kann nichts gegen die Tränen tun, die mir das Gesicht runterlaufen. Ich bin so wütend, dass Ivan tot ist. So unfassbar wütend. Das ist so ungerecht. Er war so ein Guter. Scheiße. Scheiße. Scheiße. Ich setze mich aufs Bett, Viktor setzt sich neben mich, legt den Arm um mich, und der Damm bricht.

Viktor: Alles wird gut.

So was müsste ich doch eigentlich zu ihm sagen. Mein Kopf lehnt in seiner Halskuhle, und meine Tränen kullern auf sein Shirt, während er meinen Kopf streichelt.

Schweigen.

Viktor: Wenn ich mit meiner Mutter telefoniert habe, hieß es immer, der ist wieder mit seinen beiden neuen Freundinnen unterwegs.

Ich: Wusstest du, dass ich eine von den beiden Freundinnen war?

Viktor: Klar. Er meinte mal, dass Tilda auch so ein Freak sei wie ich, da hab ich gewusst, dass Tilda die unverschämte 8-Klässlerin Tilda Schmitt sein musste, die Herr Weber mir damals vorgestellt hatte. Ich grinse leicht. Er kann sich also auch an unser Kennenlernen erinnern.

Jetzt. Ich richte mich auf und löse meinen Kopf aus seiner Halskuhle, damit ich ihn anschauen kann. Ich habe Angst vor seiner Reaktion, aber noch mehr Angst habe ich davor, es nicht zu sagen und immer tiefer zu vergraben, bis es irgendwann zu spät ist, es zu sagen. Und dann liegt dieser letzte Abend wie ein schwerer und härter werdender Stein in meinem Bauch und vor allem zwischen uns beiden.

Ich: Wir waren in der letzten Nacht mit Ivan unterwegs, wir haben ihn überredet, obwohl er gar nicht wollte.

Schweigen. Endlich ist es draußen.

Ich: Auch zu Drogen.

Marlene und ich wissen nicht, ob Ivan am Steuer gesessen hat, und sind der Sache auch nie nachgegangen, weil wir Angst davor haben, dass er am Steuer gesessen hat.

Viktor: War es eine gute Nacht?

Ein ganz zartes Lächeln liegt auf seinen Lippen.

Der Stein in meinem Bauch wird leichter.

Ich: Geht so. Hatte einen Horrortrip mit Kaulquappen und so. Die beiden mussten sich um mich kümmern.

Er nickt, als hätte er schon viele Horrortrips mit Kaulquappen gehabt.

Jetzt.

Ich: Saß Ivan am Steuer?

Viktor: Nein.

Der Stein löst sich auf, aber da ist noch ein anderer, kleinerer Stein, der hinter dem anderen großen gelegen hat.

Ich: Er hat mich in der letzten Nacht gefragt, ob ich mit nach Russland kommen will.

Mein Körper bebt.

Viktor hält mich fest.

Viktor: Ivan war schon immer mutiger als ich.

Wir sitzen ziemlich lange so da, ich weiß nicht wie lange, aber irgendwann sitzen wir im Dunkeln.

Mit Ivans Zimmer haben wir's geschafft; wir fahren zum Recyclinghof und schmeißen alle Sachen in die Container. Wieder wie Maschinen. Hin, her, hin, her.

Ich bin erleichtert und erschöpft, als ich in seinem Auto sitze, und wünsche mir eine lange Autofahrt.

Viktor: Ich bring dich jetzt nach Hause und dann den Anhänger weg. Einverstanden?

Ich kann ihn nicht allein lassen.

Ich: Nein. Ich bleib heute bei dir.

Er erwidert nichts.

Während er den Wagen wegbringt, laufe ich zum Edeka und kaufe Hähnchen, Pommes und Krautsalat. Es ist Gockelmobil-Donnerstag. Später als wir am Tisch sitzen und essen, redet er wenig. Er reagiert auf meine Fragen, lacht über meine Witze, aber ich merke, dass der Tag ihn richtig zerstört hat. Er ist blass, hat dunkle Ringe unter den glasigen Augen, und ich weiß nicht, ob ich wissen will, wie es in ihm aussieht. Wenn ich mir versuche vorzustellen, ich wäre in seiner Lage und müsste Idas und Mamas Sachen zum Recyclinghof bringen, kommt mir das Hähnchen wieder hoch, ich will laut brüllen und mir ein Messer in den Arm rammen.

Viktor: Geh du schon mal nach oben, ich räum noch ein bisschen auf.

Ich protestiere nicht, weil mein Körper »schlafen« schreit, putze Zähne und gehe in sein Zimmer, in dem ich noch gar nicht war. Eine Matratze, die auf dem Boden liegt, ein Schreibtisch, auf dem lediglich sein Laptop steht, eine Kleiderstange, an der ein paar Sachen hängen, daneben sein Koffer. Ich lasse mich auf die Matratze fallen, der Schlaf ergreift sofort Besitz von mir.

Ein Schluchzen, ich brauche kurz, um zu verstehen, wo ich bin. Viktor neben mir. Er liegt auf dem Rücken, ich glaube, seine Augen sind offen. Weint er? Er weint.

Ich rücke zu ihm und lege meinen Arm um seine Brust. Sie bebt, ich streiche ihm die Träne aus dem Gesicht.

Ich: Viktor. Ich bin da.

Irgendwann dreht er sich zu mir und nimmt mich in den Arm. Er küsst meine Stirn, wir halten einander fest, und eigentlich will ich nicht einschlafen, weil es zu guttut. Das Letzte, was ich höre, ist: »Tilda. Ich bin da.«

Als mein Wecker klingelt, liegen wir immer noch eng umschlungen da. Kurz überlege ich, einfach liegen zu bleiben, aber weil ich vor der Schule eh noch bei Ida anrufen wollte, löse ich mich aus der Umarmung. Es dämmert. Viktors Gesicht sieht so unschuldig aus im Morgenlicht wie von einem kleinen Jungen, der noch kein Leid erfahren musste. Ich küsse ihn auf die Backe und tapse nach unten.

Auf dem Weg zur Arbeit rufe ich Ida an. Gestern, als ich sie am Telefon gefragt habe, ob es in Ordnung sei, wenn ich bei Viktor schlafe, hat sie »Uiuiui« und »Oui, Mademoiselle« gesagt.

Ida: Hallo Tilda.

Ich: Hey Ida. Wie gehts?

Ida: Gut und dir? Und euch?

Ich höre das Lächeln in ihrer Stimme und freue mich, dass sie lächelt und gut drauf ist.

Ich: Ganz gut, denke ich.

Ich: Was hast du gestern Abend gemacht?

Ida: Gegessen und dann ein Bild für die Kunst-AG fertig gemalt.

Ich: Hat Mama mitgegessen?

Ida: Nein. Sie lag vorm Fernseher.

Während ich mir ausmale, wie Ida da in ihrem Tweety-Nachthemd alleine am Abendbrottisch gesessen, ihr Brot geschmiert und gegessen hat, wird mir übel. Ich hasse mich dafür, dass ich sie allein gelassen habe, und ich habe keine Ahnung, wie ich das ertragen soll, wenn ich nach Berlin gehe.

Ich: Gabs überfahrene Radieschen?

Ida: Na klar. Und natürlich kein Nutellatoast.

Ich: Natürlich. Heute Abend bin ich wieder da.

Ida: Musst du nicht. Du kannst bei Viktor bleiben. Ich schaue während dem Essen YouTube-Videos auf meinem Smartphone.

Ida: Habt ihr euch geküsst?

Ich: Ida.

Ida: Ja oder nein?

Ich: Ida, ich habe dir doch schon mal gesagt: Das hier ist keine Liebesgeschichte. Viel Spaß in der Schule.

Ida: Das kannst du doch nicht entscheiden.

Ich: Ida.

Ida: Das ist, wie wenn das Mordopfer im Tatort sagt: Das hier ist kein Krimi.

Ida: Wird trotzdem getötet.

Ich: Toller Vergleich.

Wirklich toller Vergleich.

Ida: Ich weiß. Tschüss.

Ida legt auf. Die kleine Mademoiselle ist ganz schön frech geworden.

Ich ziehe die Sachen übers Band, rate nicht und frage mich, ob Viktor jetzt einfach verschwinden wird. Am meisten Angst habe ich davor, dass er geht, ohne es anzukündigen oder sich zu verabschieden, diesmal endgültig, und ich morgen oder übermorgen vor dem vollends leeren, traurigen Haus stehe. Er hat mir gestern erzählt, dass er seit 2 Jahren in Hamburg wohnt und als freiberuflicher Programmierer arbeitet. Ich habe ihn gefragt, wann er fährt, er hat gesagt: »Demnächst.« Dieses »Demnächst« macht mich verrückt. Es macht mich verrückt, nicht zu wissen, wann genau er fährt. Und wenn er fährt, was mache ich dann? Mache ich einfach weiter wie zuvor? Weil mir von solchen Gedanken schlecht wird, denke ich daran, wie er mich angelächelt hat, als ich gesagt habe, dass ich die Bewerbung abgeschickt habe, oder wie süß fertig er aussah, als er in Boxershorts und dreckigem Shirt barfuß an der Tür stand und 1-mal keine Antwort wusste.

Wenn Marlene sich damals verliebt hatte, war ich immer sauwütend auf sie. Sie war dann so benebelt. Sie redete nur über den Typ, wollte nur dorthin, wo der Typ war, hatte furchtbare Angst, dass der

Typ nicht in sie verliebt war. Wenn ich diesen verliebten, verschleierten Blick in ihrem Gesicht sah, wusste ich, dass ich nicht zu ihr durchdringen konnte. Ich meinte zu ihr: »Marlene, der ist dumm wie Brot, Marlene, siehst du das denn nicht?«

Und jetzt bin ich selbst das Opfer einer Liebesgeschichte und spüre, wie sich meine Gedanken zunehmend um ihn drehen, obwohl ich eigentlich genug andere Probleme habe. Das sollte hier nie eine Liebesgeschichte werden. Das sollte wenn, dann Idas und meine, vor allem Idas Heldinnengeschichte werden, in der sich Ida von Mama befreit. Aber andererseits: Was ist ein Heldenepos ohne Liebe? Was wäre das Nibelungenlied ohne Siegfried und Kriemhild? Parzival ohne Condwiramurs? Hauptsache, es wird keine tragische Liebesgeschichte. Dafür habe ich keine Kapazitäten. Vielleicht wäre es doch am besten, wenn er morgen oder übermorgen einfach verschwinden würde, dann kann ich mich wieder auf das Wesentliche konzentrieren.

Red Bull, Red Bull, Pombär Ketchup. Zwei Schüler, 8. Klasse, Jungs, rate ich, sage »3,89 Euro« und schaue in die Gesichter von 2 Fünftklässlerinnen. Ida und ein Mädchen. Das Mädchen so groß wie Ida, schwarzes, langes Haar, dunkelbraune Augen.

Ida: Das ist Samara.

Das ist also Samara.

Ich: Hallo Samara.

Ida: Das ist meine Schwester Tilda.

Samara: Hallo Tilda.

Ich: Ihr dürft doch nicht das Schulgeländer verlassen, oder?

Idas freches Lächeln.

Ich: Nicht erwischen lassen, du Frechdachs.

Sie sehen lustig nebeneinander aus. Samara mit ihrem glatten schwarzen Haar in ihrem grauen Wollkleid neben Ida mit ihren blonden Locken, in ihrem oder vielmehr meinem neonpinken Woll-

188

pulli und ihrer neuen Latzhose, die wir ihr am Anfang der Sommerferien bei H&M zum Schulanfang ausgesucht haben. Wie Yin und Yang. Wie 2 Charaktere aus einem Coming-of-Age-Film.

Ida: Darf ich heute nach der Schule zu Samara?

Sie ist noch nie nach der Schule zu einer Freundin oder zu einem Freund gegangen. Sie hat keine Freunde. Sie hatte keine Freunde? Wenn ich sie nach ihren Freundinnen Karlotta und Finja fragte, mit denen sie ja laut Frau Schwöbel in der großen Pause spielte, stellte Ida immer klar, dass das nicht ihre Freundinnen, sondern ihre Mitschülerinnen seien. Ich schaue von Ida zu Samara und von Samara zu Ida und muss an Marlene und mich denken. In der Schule waren wir unzertrennlich, und ich empfinde in diesem Moment eine tiefe Dankbarkeit für Marlene. Ich weiß nicht, wie meine Kindheit und Jugend verlaufen wäre, wenn sie nicht da gewesen wäre. Und irgendwie tut es mir leid, dass es nicht mehr so ist wie früher.

Samara: Meine Mama hat schon Ja gesagt. Sie macht Lasagne für uns.

Samara spricht leise, aber bestimmt und schaut mich währenddessen mit ihren dunkelbraunen, fast schwarzen Augen ganz direkt an. Ich mag sie. Lasagne hat Marlenes Mutter auch manchmal gemacht, aber selten, schätzungsweise insgesamt so um die 4-mal. Das war schon was Besonderes.

Ida: Tilda? Dann kannst du auch zu Viktor gehen.

Ich merke, dass ich immer noch nicht geantwortet habe und sie beide abwechselnd anstarre.

Ich: Klar darfst du mit zu Samara.

Ida: Viktor ist übrigens Tildas fester Freund.

Ich würde ihn zwar nicht als meinen festen Freund bezeichnen, aber ich muss mich jetzt nicht vor 2 Fünftklässlerinnen rechtfertigen. Ich schaue Yin und Yang zu, wie sie auf dem Parkplatz stolz mit ihrem Red Bull anstoßen, als wäre es Alkohol, und von dannen ziehen. Marlene und ich sind in der großen Pause auch oft zum Supermarkt gegangen. Wir haben uns immer Kratzeis gekauft, ich Grün oder Blau, sie Rot oder Braun, und dann haben wir uns in die Netzschaukel gesetzt, bis die Klingel wieder ertönte.

3 Stunden später lege ich Spaghetti, Hackfleisch, passierte Tomaten auf das Band. »4,49 Euro«, sagt Nadja, ich zahle, stopfe die Sachen in meinen Rucksack und gehe zum traurigen Haus. Eigentlich muss ich in die Uni, meine Masterarbeit schreiben, aber solange er noch hier ist, will ich bei ihm sein. Außerdem kann ich zurzeit eh nicht klar denken.

Sein Schiff steht da, ich klingele, aber er scheint nicht da zu sein. Die Tür ist offen, ich trete ein, und das Haus ist leer und traurig. Ich lege die Einkäufe auf den Esstisch neben die »Gockel Grill, den jeder will«-Serviette.

Es ist ein goldener Herbsttag. Weil ich die schwere Stille und Leere in dem Haus nicht ertrage, lege ich mich in den Garten, schließe die Augen und döse ein.

Irgendwann steht er dann über mir, der verschwitzte Viktor. Er trägt schwarze Shorts und ein weißes Shirt, Laufschuhe, ein weißes Nike-Stirnband.

Viktor: Na, du Stalker. Scheinst ja nicht genug von mir zu bekommen.

Er setzt sich neben mich und drückt mir einen Kuss auf die Stirn. 2 fette Libellen fliegen gegen meine Bauchwand.

Ich: Du bist zurzeit emotional instabil, und niemand schaut nach dir. Er zuckt mit den Schultern und legt sich neben mich.

Ich bette meinen Kopf auf seinen Bauch und spüre seinen Atem, sein schlagendes Herz. Es riecht nach Laub und nach stahlblauem Himmel, und irgendwo grillt jemand. Ich mag den Geruch von Grills. Früher habe ich mir immer vorgestellt, dass ich, wenn ich selbst mal Mutter bin, bei schönem Wetter ganz oft mit meinen Kindern grillen werde. Er streichelt meinen Kopf, und ich will nie mehr aufstehen. Im Oktober geht die Sonne ungefähr um 18:30 Uhr unter. Das bedeutet, wir können noch circa 3 Stunden so liegen, bevor es kalt wird. Ich schaue in den stahlblauen Himmel und erinnere mich an die dramatischen Gewitterwolken, in die Marlene, ich und Ivan am 8. August geschaut haben.

Ich: An seinem letzten Tag hat Ivan Marlene und mir versprochen, mit uns und Ida über Slowenien nach Kroatien zu fahren, über Ljubljana nach Piran ans Meer und dann an der Küste entlang nach Kroatien. Pula, Medulin, Rijeka.

Er schweigt, streichelt meinen Kopf. War das taktlos?

Viktor: Vielleicht kannst du das Versprechen irgendwann für ihn einlösen.

Vielleicht kann ich das. Wieder sammeln sich am Himmel Vögel, die in den Süden ziehen.

Viktor: Wir sind mit der Familie nie in den Urlaub gefahren, nur 1-mal im Jahr nach Russland.

Ich nehme seine Hand und streiche mit meinem Daumen darüber.

Viktor: Ivan ist mit 16 Jahren das 1. Mal mit seinen Freunden mit dem Zug nach Südfrankreich gefahren. Seitdem hat er sich in allen längeren Ferien Interrailtickets gekauft und ist durch Europa gefahren. Ich glaub, deswegen hat er überhaupt erst so exzessiv mit dem Drogenmist angefangen.

Das wusste ich auch nicht. Was weiß ich überhaupt über Ivan? Ich denke an Ivans überhebliches Grinsen an dem 1. Juniabend, an dem er für 5 Pillen 100 Euro verlangte.

Viktor: Er kannte alle guten Zugreiserouten in Europa, er hat den Hellas Express geliebt. Das ist der Nachtzug zwischen Belgrad, Skopje und Thessaloniki.

Ich bin noch nie mit einem Nachtzug gefahren und stelle mir das schön vor. Ich stelle mir vor, wie ich im Nachtzug liege und Skopje durchs Fenster anschaue. Dabei habe ich keine Ahnung von Skopje. Ich glaube, es liegt in Mazedonien, aber bin mir sicher, dass Skopje mir gefallen würde. Ich stelle mir vor, wie ich aus dem Fenster schaue. Da sind ockerfarbene Brücken und ein tiefblauer Fluss. Ich stelle mir vor, dass die Schiebetür aufgeht und da nicht der Kontrolleur steht, sondern Ida und Viktor mit 3 Bechern in den Händen.

Letzterer bremst unsere Fahrt im Hellas Express abrupt ab, indem er sich aufsetzt, meinen Kopf auf die Wiese bettet. Der atmende Bauch als Kissen war gemütlicher, der Boden ist hart und kalt. Ich öffne die Augen und schaue ihn an, wie er neben mir sitzt und mich beobachtet. Ich halte seinem Blick auch noch stand, als er sich über mich beugt wie ein Arzt über seine Patientin. Er legt seine rechte Hand auf meine linke Wange, und sein Blick wandert über mein ganzes Gesicht, als ob er irgendetwas suchen würde, irgendeine Antwort auf eine Frage, die ich nicht kenne. Dann treffen seine Augen wieder die meinen, und er schüttelt den Kopf.

Viktor: Verrückt. Damit habe ich wirklich nicht gerechnet.

Ich: Womit?

Er lässt sich Zeit mit der Antwort.

Viktor: Mit dir.

Wir liegen immer noch nebeneinander auf der Wiese, als es anfängt zu dämmern und Viktor vorschlägt, heute Abend in die Alte Wache tanzen zu gehen. Ein Freund aus Hamburg legt auf. Ich wollte dort eigentlich nie wieder hin, aber Viktor würde es guttun, mal aus dem Haus zu kommen. Und vielleicht wäre es auch wichtig für mich, dorthin zurückzukehren.

Ich: Ja, geh du duschen, ich koche uns was.

Wir laufen auf demselben Feldweg entlang wie vor ein paar Wochen. Nur in die andere Richtung. Und ohne 40 Zentimeter zwischen uns. Gar kein Zentimeter zwischen uns. Sein Arm liegt um meine Schulter, und ich halte seine Hand fest, damit er seinen Arm nie mehr wegnehmen kann. Ich wünsche mir, dass der Weg ganz lang ist und zum Meer führt. 100 Stunden würden wir circa bis an die Küste im

Norden brauchen. Ich denke, wir würden das schaffen. Wir könnten ja ein paar Pausen machen.

Die Alte Wache sieht und hört man von Weitem pulsieren. Wütende Nachtschwärmer, die anscheinend nicht reingelassen worden sind, kommen uns entgegen und sagen uns, dass wir besser umkehren sollen. »Scheißclub.« Die Schlange ist bestimmt 80 Meter lang, aber wir laufen daran vorbei, direkt zum Türsteher.

Viktor: Viktor Wolkow. Ich stehe auf der Gästeliste, das ist meine Freundin.

In einem Club ankommen ist immer komisch. Das wirkt alles so verkehrt, die Gestalten, die betrunken und auf irgendwas drauf herumlungern, die ungezügelten Blicke, die in jede Richtung geworfen werden, die eng aneinandergedrängten Körper. Ich fühle mich fremd und möchte flüchten, frage mich, was ich hier eigentlich mache, möchte nicht Teil von dieser absurden Show sein, sondern ins warme Bett, aber sobald ich dann die Musik höre, ist alles gut, und ich schalte alles andere um mich herum einfach aus. Ich schalte alles aus. Ich schließe die Augen und lasse die Beats zuerst in meine Fingerspitzen eindringen, dann in meine Hände, in meine Arme, in Bauch, Brust, Kopf und runter in die Beine, bis zu den Füßen, in die Zehenspitzen und lasse los.

Da sind nur die Musik und ich. Da sind nur die Musik und ich. Und er. Viktor Wolkow. Ich schaue neben mich, seine geröteten Wangen, seine Augen sind geschlossen.

Irgendwann stehen wir einander gegenüber, und die Zeit steht still. Wir schauen uns in die Augen, das flackernde Licht, die sich bewegenden Körper um uns herum. Die Musik gedämpft.

Ich schaue in seine eisblauen Augen, und Bilder ziehen an mir vorbei wie bei so einer Nahtoderfahrung. Wie er an diesem Juliabend auf einmal in dem Schwimmbad auf dem Block stand. Der fahrige, mit mir und Ida überforderte Viktor in dem traurigen Haus, der mir so leidtat. Wie er während meines Fiebers an meinem Schreibtisch saß, die Vogelschwärme, unser Kuss. Seine vom Rotwein geröteten Wangen, das geschmolzene Eis in seinen Augen und das unverschämte Grinsen, als er vorhin gesagt hat, dass meine Bolognese fad schmecken würde. Ich frage mich, ob er das, was ich in seinen Augen vorbeiziehen sehe, in meinen Augen gespiegelt sieht, und hoffe nicht, weil mir das schon ein bisschen peinlich wäre. Er mustert mein Gesicht, als müsste er sich noch 1-mal alles einprägen, bevor er geht.

Ich: Ist das ein Abschied?

Viktor schüttelt den Kopf.

Viktor: Nein, das Gegenteil.

Ich: Was ist denn das Gegenteil von Abschied?

Er überlegt.

Viktor: Ankunft?

Ich: Wieso mit Fragezeichen?

Viktor: Weiß nicht.

Viktor: Vielleicht weil es eine Frage an dich ist? Oder vielleicht fällt dir ein besseres Wort ein?

Ich: Wenn es eine Frage an mich ist, lautet die Antwort Ja.

Ich: Und Ankunft finde ich gut.

Viktor lächelt.

Viktor: Gut.

Ich küsse ihn, und eine große Last fällt von mir ab, weil ich jetzt weiß, dass das kein Abschied ist, sondern eine Ankunft.

Im Morgengrauen laufen wir zurück. Leider wieder nicht ans Meer, aber das ist okay, denn wir haben Zeit. Wir sind ja gerade erst beieinander angekommen.

Ich ziehe die Sachen über das Kassenband und spiele nicht. Stattdessen denke ich an Viktor. An die letzten Tage mit ihm. An letzte Nacht. Die gemeinsame Blaue Stunde auf seiner Matratze, bis mein Wecker klingelte. Ich denke daran, wie er meinen Bauch geküsst hat, und die Libellen in mir beginnen wieder zu toben. »Hört auf!«, möchte ich schreien, »Ich bin kein Teenager!«, und zwinge mich, stattdessen an das Buch *Brownian Motion, Martingales, and Stochastic Calculus* von Jean-François Le Gall zu denken, das ich zur Vorbereitung auf meine potenzielle Stelle lese, weil es so sehr kitzelt. Geht nicht. Also stelle ich mir vor, wie ich die Libellen aus meinem Körper einzeln heraus und über das Band ziehe. Die Libellen sind groß und stark. Ihre langen, spindelförmigen Körper, an denen ich sie greife, sind fest. Sie sind wunderschön, vergissmeinnicht-violett, blutrot, pazifikblau. Ihre von einem dichten Adernetz durchzogenen Flügel sind zauberhaft. *Dragon-Fly* heißen sie auf Englisch. Und umso mehr Libellen ich über das Band ziehe, desto stechender schauen mich die Drachen-Fliegen mit ihren eisblauen Augen an. Mit ihren eisblauen Komplexaugen, die alles sehen, lachen sie mich aus. »Du wirst uns nicht los«, sagen die Augen, »wir werden immer mehr. Immer größer. Immer stärker.« Was bilden sich diese dummen Drecksinsekten eigentlich ein, nur weil sie rückwärtsfliegen können. »Ihr lebt nur 2 bis 8 Wochen!«, will ich schreien und sage stattdessen »63,98 Euro«.

4 Stunden später lege ich Mikrowellen-Popcorn und Huhn Shanghai aufs Band, »3,30 Euro«, sagt Frau Bach, ich zahle, stopfe die Sachen in meinen Rucksack und gehe nach Hause.

Ida und Mama habe ich die letzten Tage fast ganz vergessen. Nein, Ida nicht, aber Mama ein bisschen. Oder verdrängt. Ida ist nicht zu Hause. Leichte Panik. Mama liegt auf dem Sofa, die Antidepressiva schlagen voraussichtlich erst nächste oder übernächste Woche an.

Ich: Wo ist Ida?

Mama: Bei Samira.

Ich: Samara.

Ich: Wie gehts dir?

Mama: Okay.

Die Küche ist aufgeräumt, der Kühlschrank gefüllt. Eine Basilikumpflanze steht auf dem Tisch. Ich weiß nicht, was ich machen soll, ich will nach meiner Abwesenheit irgendwas Sinnvolles tun. Der Kühlschrank ist gefüllt, die Pflanzen sind gegossen, der Briefkasten ist geleert, der Wäschekorb ist leer, das Bad ist geputzt. Ida ist krass. Irgendwie schäme ich mich dafür, dass ich dachte, sie würde es ohne mich nicht schaffen, dass ich sie so unterschätzt habe. Aber vor allem bin ich stolz und ein bisschen traurig, dass sie mich gar nicht zu brauchen scheint.

Ich gehe in die Küche und überlege, über welches Gericht sie sich freuen würde. Arme Ritter, Dampfnudeln, Milchreisauflauf oder Apfelpfannkuchen. Hauptsache, irgendwas mit Vanillesoße. Ida liebt Vanillesoße. Wenn wir die von Dr. Oetker dahaben, gießt sie sich die ganze Packung in eine Cornflakes-Schüssel und löffelt sie genüsslich mit einem Teelöffel leer. Vanillesoße ist auch das einzige Produkt neben Ben-&-Jerry's-Eis, bei dem Ida keine Gut&Günstig-Variante akzeptiert.

Als ich gerade die Toasts in die Pfanne schmeiße, kommt Ida in Latzhose, meiner Hemdjacke, die Hände an den Trägern ihres Snoopy-Rucksacks und mit 2 Fischgrätenzöpfen, wie abgemacht, pünktlich, bevor es dunkel wird, die Fröhlichstraße entlang. Sie balanciert auf der Bordsteinkante, immer 2 Schritt pro Stein, Blick konzentriert auf den Bordstein, so wie ich früher. Und heute eigentlich auch noch. Ich klopfe ans Fenster, sie schaut auf, lächelt und winkt.

Ida: Weißt du, was noch besser ist als die Dr. Oetker Vanillesoße?

Ich: Warme selbst gemachte Vanillesoße?

Ida: Mit Zimt und Zucker.

Ich: Vanillesuppe wäre ein Gericht, das du erfinden könntest.

Ida zückt ihr Smartphone.

Ida: Gibt es schon. Vanillesuppe mit Apfelstückchen.

Ida: Wenn du in Berlin wohnst, esse ich ganz oft Vanillesuppe, und du kannst nichts dagegen tun.

Ich: Du kannst es ja gar nicht abwarten, dass ich gehe.

Dabei habe ich noch nicht einmal eine Einladung zum Vorstellungsgespräch.

Ida: Nein, ich stelle es mir nur manchmal vor. Und man muss es sich ja auch schön machen.

Ja, das muss man.

Ich: Wie war es mit Mama die letzten Tage?

Ida: Okay. Sie liegt nur rum. Die Tabletten wirken noch nicht.

Ich: Isst sie?

Ida: Die Brote, die ich ihr hinstelle, isst sie. Gestern habe ich ihr Nutellatoast gemacht.

Ich: Und, hat sie's gegessen?

Ida nickt: Pervers, hat sie gesagt.

Ich: Ich hab Popcorn gekauft und eine DVD ausgeliehen. Kennst du *Amy und die Wildgänse*?

Ida: Nein, um was gehts?

Ich: Um Amy. Ihre Mutter stirbt, und sie zieht zu ihrem Vater nach Kanada. Sie findet ein Gelege von einer Kanadagans, zieht 16 Gänse auf, die Amy als Mutter sehen. Aber das Problem ist, dass Amys Gänse nicht von den Eltern das Fliegen und den Weg in den Süden beigebracht bekommen haben. Und mehr verrate ich nicht.

Ida: Klingt gut.

Ida liebt den Film.

Sonntagnachmittag malt sie Acryl, und ich lese Rilkes *Die Aufzeich-nungen des Malte Laurids Brigge.*

Ich: Viktor geht. Montag oder Dienstag.

Ida: Puh.

Sie schaut nicht auf von ihrer Leinwand.

Ida: Aber er kommt wieder, oder?

Ich: In 2 Wochen fahren wir ans Meer.

Endlich schaut sie auf.

Ida: Wirklich?

Ich nicke.

Ida: Viktor und du?

Ich: Viktor, ich und du.

Ida: Ihr nehmt mich mit?

Ich: Ja klar.

Ida strahlt.

Ida packt ihre Malsachen zusammen und bringt sie in ihr Zimmer.

10 Minuten später kommt sie zurück und deckt den Tisch.

Dass Ida weiterhin 3 Teller deckt, tut mir leid.

Ich: Ich glaube, 2 Teller reichen.

Ida: Nein. Viktor isst mit.

Ich: Viktor isst mit?

Ida: Ja, ich habe ihn eben gefragt.

Ich: Wie, du hast ihn eben gefragt?

Sie hebt ihr Smartphone hoch.

Schon letztes Mal war es irritierend, als ich gehört habe, wie Viktor mit Ida am Telefon über Buchstabennudeln gesprochen hat, aber dass die beiden weiterhin via Smartphone miteinander kommuni-zieren, während Viktor und ich noch nicht einmal Nummern aus-getauscht haben, ist irgendwie komisch.

Ich: Ich habe noch nicht einmal seine Nummer.

Ida: Ihr seid wirklich ein komisches Paar.

Viktors Schiff fährt ein. Ich trete ans Fenster und beobachte ihn. Den grimmig dreinblickenden Seemann. Lilafarbener Hoodie, schwarze Jeans, schwarze Kappe, 3 große Becher Ben & Jerry's. Ida wird durchdrehen. Seitdem sie 1-mal eine kleine Packung Ben & Jerry's Cookie Dough im Kino bekommen hat, bettelt sie immerzu, dass wir mal eine Packung kaufen. Aber ich weigere mich, einen halben Stundenlohn für eine Packung Eiscreme auszugeben. Als ich die günstige Edeka-Variante gekauft habe, hat Ida einen Löffel probiert, den Kopf geschüttelt, ist aufgestanden, hat den Löffel in die Spüle geschmissen und die Küche wortlos verlassen. Das war eindrucksvoll und lustig. Ich renne zur Tür, öffne sie, und da steht der auf einmal nicht mehr grimmig dreinblickende Seemann vor mir.

Ich: Na, du Stalker. Scheinst ja nicht genug von mir zu bekommen.

Idas große Augen und das Strahlen, als sie die 3 Packungen sieht.

Ida: Ben & Jerry's?

Viktor: Ja, bei der Tankstelle gabs nur Cookie Dough. Ist das okay?

Ida nickt viel zu heftig und zu lange.

Viktor lacht.

Ida: Für jeden eine große Packung?

Viktor: Wenn du's schaffst.

Ida nickt immer noch.

Ich: Aber erst zum Nachtisch.

Die immer noch nickende Ida nimmt Viktor die 3 Schätze ab und verstaut sie im Gefrierfach.

Viktor: Krass. Radieschen habe ich ewig nicht mehr gegessen.

Ida und ich beobachten gebannt Viktor, wie er sich 3 überfahrene Radieschen nimmt, sie in dünne Scheiben schneidet, eine Brotscheibe dick mit Butter bestreicht, die dünnen Scheiben darauf verteilt und dann innehält.

Viktor: Habt ihr Vegeta?

Ida und ich: Was ist Vegeta?

Viktor: Kennt ihr nicht Vegeta?

Ida und ich schütteln den Kopf.

Viktor: So was Ähnliches wie Fondor, nur besser, quasi die osteuropäische Variante davon.

Ida springt auf und ruft »Fondor haben wir«, während sie auf die Arbeitsplatte klettert, um die gelbe Packung aus dem oberen Küchenschrank zu angeln. Er streut das gelbe Pulver großzügig auf sein Brot und beißt hinein.

Viktor: Was ist?

Ida: Schmeckt das?

Viktor: Sehr. Soll ich dir auch eins schmieren?

Ida nickt.

Ich: Mir auch.

Viktor grinst.

Er wiederholt das Radieschen-Vegeta-Prozedere und erzählt, dass sein Vater auf jedes Gericht, das ihm Viktors Mutter vorgesetzt hat, erst einmal eine halbe Packung Vegeta draufkippte.

Viktor: Mein Vater konnte nicht ohne Vegeta, er war süchtig nach dem Zeug.

Ida: Es gibt schlimmere Süchte.

Ida prustet los, ich stimme in das dreckige Lachen ein, Viktor auch ein bisschen, und es ist so schön, die beiden nebeneinander lachen zu sehen und zu hören, dass ich fast anfangen muss zu heulen.

Viktor zerteilt die Scheibe Brot und übergibt jedem von uns eine Hälfte.

Ida spricht aus, was ich auch denke: »Ich wusste nicht, dass Radieschen schmecken können. Sonst sind sie so scharf.«

Ich: Und bitter.

Ich bin glücklich, und erst als ich den Vorschlag machen möchte, das Eis auf dem Sofa mit *Kill Bill* zu vernichten, fällt mir ein, dass es in dieser Wohnung ja noch eine weitere Person gibt, die nicht glücklich ist. Die wahrscheinlich nie so richtig glücklich sein wird. Aber vielleicht wird es ja nicht schlimmer. Hoffe ich. Ich hole mein Ben & Jerry's aus dem Gefrierfach, fülle eine kleine Schüssel mit zwei Kugeln, stecke einen Löffel rein, gehe ins Wohnzimmer und setze mich zu Mama aufs Sofa. Sie schläft. Ich nehme ihre Hand, die kalt ist, streiche ihr die Haare aus dem Gesicht und decke sie zu.

Ich gebe ihr einen Kuss auf die Backe und gehe mit der Schüssel Eis zurück zu Ida und Viktor.

Während meiner 15. Bahn bemerke ich, dass ich rechts überholt werde, ich traue mich nicht, seinen Fuß festzuhalten, wenn er in seinem Flow ist, aber er wartet am Beckenrand. Wir küssen uns und ziehen nebeneinander unsere Bahnen. Nach meiner 22. Bahn setze ich mich auf die Betonbank neben zwei andere Mütter, schaue den Kindern und Viktor abwechselnd zu, so wie die Mütter, bis Viktor sich nach seiner 22. Bahn neben mich setzt und wir beide Ida zuschauen.

Ich: Wusstest du, dass die Libellenlarve unter Wasser manchmal mehrere Jahre lebt, während die fertige Libelle nicht mal ein Jahr über der Wasseroberfläche lebt?

Viktor schüttelt den Kopf.

Ich: Die Libelle ist ein Jäger.

Viktor nickt: Ach ja?

Ich: Wusstest du, dass die Libelle eine 95%ige Erfolgsquote beim Jagen hat? Der Löwe hat im Vergleich nur eine 25%ige und der weiße Hai eine 50%ige.

Viktor lacht leise: Tatsächlich?

Ich: Sie jagt aktiv mit einer Augen-Flügel-Motorik.

Ich: Das Gehirn berechnet die Flugbahn des Beutetiers und gibt die Info direkt an den Flugapparat weiter.

Ich: Bis zu 50 km/h kann sie fliegen. So schnell ist kaum ein anderes Insekt.

Viktor: Wow.

Ich: Wusstest du, dass die Libelle Flugmanöver beherrscht, von denen Flugzeug- und Hubschrauber-Entwickler nur träumen können?

Viktor lacht: Nein.

Ich: Die Libelle kann sich mühelos in alle Richtungen bewegen. Das liegt an der Konstruktion ihres Flugapparates. Jedes ihrer 2 Flügelpaare kann separat angesteuert werden. Dadurch kann sie abrupt die Richtung wechseln und sogar rückwärtsfliegen.

Viktor schaut mich belustigt an.

Ich: Am krassesten sind eigentlich die Augen der Libelle. Ihre Komplexaugen bestehen aus 30 000 Einzelaugen und bedecken fast den ganzen Kopf. Damit hat sie eine Rundumsicht von 360 Grad.

Ich: Und das ist nicht alles. Sie sieht die Welt viel farbiger als wir Menschen. Das liegt an den Opsinen. Das sind lichtempfindliche Proteine. Während der Mensch 3 hat, um Blau-Grün-Rot zu sehen, verfügt die Libelle über mindestens 11, manche Arten besitzen bis zu 30 Opsine.

Viktor: Das ist wirklich krass.

Ich: Viele Libellenarten stehen auf der Roten Liste. Weil geeignete Lebensräume schwinden. Die Libelle benötigt stehende oder fließende Gewässer für ihre Entwicklung und geeignete Jagd- und Ruheräume für die erwachsenen Tiere.

Viktor streicht mir eine Strähne aus der Stirn.

Ich: Bin gestern Abend ein bisschen in der Libellen-Blase abgetaucht.

Viktor lacht: Wirklich?

Ich: Aber die Libelle ist echt ein krasses Tier.

Viktor streichelt meine Schläfe.

Viktor: Ja. Die will man nicht zum Feind haben.

Ich schaue ihn an, begreife und nicke.

Die Libellen sind nicht meine Feinde. Sie sind zwar scheißunheimlich. Aber sie sind auch megakrass, und irgendwie ist es ja verrückt, dass diese Jäger ausgerechnet in mich hereingeflogen sind und dass sich alles so komisch und schön anfühlt. Ich kapituliere und beschließe, mich nicht mehr gegen die Libellen zu wehren, sie nicht mehr zu zählen oder zu zähmen zu versuchen. Ich habe keine Angst vor ihnen und sage: Ich will nicht, dass du fährst.

Viktor: Ich komme ja wieder.

Am Dienstagmorgen parkt sein Schiff vor unserer Wohnung, und ich weiß, was das heißt. Ida ist schon in der Schule.

Viktor: Ich fahre.

Ich: Puh.

Ich will so viele Sachen sagen, aber irgendwann haben wir anscheinend beschlossen, dass wir nicht über die Zukunft reden, und wir wissen ja beide, dass das kein Abschied ist.

Ich: Wir wissen ja beide, dass das kein Abschied ist?

Viktor nickt.

Ich: Das hat Ida für dich gemalt.

Acryl auf Leinwand, das macht sie nicht oft. Eine Ritterin in einer Rüstung sitzt am Strand und blickt aufs Meer. Dort ist ein Schiff mit Wolfsflagge, an dessen Bug der Seemann steht und winkt. Dass man nicht erkennen kann, ob das Schiff ankommt, weg- oder einfach nur vorbeifährt, macht mich verrückt.

Viktor: Das Schiff ist ja viel zu nah am Ufer.

Ich: Das ist Kunst. Subjektiver Maßstab.

Viktor: Aber das Schiff ist weit vor der Boje.

Die gelbe Boje hatte ich gar nicht gesehen, oder ich dachte, sie wäre ein Fisch.

Viktor: Das Schiff ist wahrscheinlich aufgelaufen.

Ich: Woher weißt du das?

Ich komme mir vor wie im Kunstunterricht in der Oberstufe, in dem die Kunstlehrerin in einem Obstkorb so viel mehr sieht als nur Obst. In dem Apfel die Vergänglichkeit, im Birnenstiel die Wiedergeburt.

Viktor: Die Flagge, weiß mit rotem Kreuz, bedeutet *Ich brauche Hilfe*.

Die beiden Flaggen habe ich auch nicht gesehen, oder ich dachte, das wäre halt Deko fürs Schiff.

Ich: Und was bedeutet diese gelb-blau gestreifte Flagge?

Viktor: *Ich brauche einen Lotsen.*

Manchmal denke ich, Ida ist ein Genie.

Viktor: Denkst du, die Ritterin geht als Lotse mit an Bord?
Ich schaue mir die Ritterin genau an.

Ich: Ja, ich denke schon. Sie hat schon ihre Sachen gepackt.
Ein Beutel liegt neben ihr.

Ich: Schönes Bild, oder?

Viktor: Ja, schönes Bild.

Er legt das Bild auf den Beifahrersitz. Eine Umarmung. Ein Kuss.

Viktor: Bis bald.

Ich schaue dem schwarzen Schiff nach und winke. Ich winke noch, als es schon weg ist. Viktor ist weg, aber das ist okay, denke ich. Er kommt wieder.

Später sitzen wir in der Küche und essen Butterbrot mit dünn geschnittenen Radieschen und Fondor obendrauf. Draußen regnet es, das Hallenbad wird voll sein.

Ich: Schwimmbad?

Ida nickt.

DANK

Ich danke Uta Wahl, Franziska Wahl, Angela Tsakiris und Sabine Cramer.

Mein ganz besonderer Dank gilt Vanessa Gutenkunst.

Leseprobe

256 Seiten / Auch als E-Book und digitales Hörbuch

Mit meinem MacBook im Rucksack, meinen Lieblingsklamotten in Mamas marineblauem Hartschalenkoffer, AirPods in den Ohren und der gefalteten Kündigung in der Bauchtasche trete ich aus dem Haus in der Fröhlichstraße 37, das nicht mehr mein Zuhause ist. Der Koffer rollt nicht richtig, der Griff ist nicht ausziehbar, und ich habe das Gefühl, einen Plastikklotz hinter mir herzuschleifen. Tragen ist zu schwer und meine Schulter noch verletzt von der Sache mit dem Schrank. Eigentlich würde ich am liebsten rennen und bereue, dass ich nicht meine große Schwimmtasche genommen habe, die ich immer benutze, wenn ich unterwegs bin. Aber ich musste mich entscheiden, und ich bereue sowieso stets jede Entscheidung, die ich treffe. Ich frage mich, von welchen Reisen der Koffer so abgewetzt ist. Mama hat ihn nie benutzt, seit ich da bin. Tilda war mit Mama und ihrem Vater mal mit dem Auto in Südfrankreich, da war sie zehn oder so. Aber davon wäre er ja nicht so beschädigt. Ich ziehe mein Smartphone aus der Bauchtasche.

Ich: *Dieser marineblaue Koffer*

Ich: *Hat Mama den damals mit nach Frankreich genommen?*

Tilda: *?*

Ich schicke ihr ein Foto.

Tilda: *nein*

Tilda: *bist du unterwegs?*

Tilda: *wann kommst du an?*

Tilda: *ida, du kommst aber?*

Tilda mit ihren tausend Fragen macht mich so wütend.

Ich bleibe stehen, bücke mich und schaue mir den Klotz noch einmal genauer an. Die rechte Rolle ist fast komplett abgenutzt. Viele bunte Kratzer auf der harten Schale. Mama hat mir nie von irgendwelchen Reisen erzählt. Ich habe sie auch nie gefragt. Einmal, als ich Schafskäse gebacken habe, wollte sie, wie so oft, nicht mitessen, weil sie keinen Hunger hatte und außerdem Schafszeugs hasste, seit sie mal Schafskopf gegessen hatte. Ich habe gefragt: Wo? Sie hat geantwortet: In Norwegen. Ich habe nicht gefragt: Wann?

Ich stelle mir vor, wie meine Mama, als sie noch keine Mama war, im Bahnhof von Bergen die Treppe heruntergerannt ist, zu einem Zug nach Oslo, vielleicht einem Bjorn oder Ragnar hinterher. Ihr Haar offen, braune Strähnen im Gesicht, ihre braunen Augen damals noch leuchtend voller Lebenslust. Ich stelle mir vor, wie sie »Stopp!« schreit, während sie den Koffer achtlos die Treppe hinunterzerrt, wie Ragnar sie gerade noch in den Zug hineinzieht, wie sie sich dann atemlos gegenüberstehen, an den Händen halten und Mama laut lacht vor Glück. Wenn sie wüsste, was da noch auf sie zukommt. Aber sie weiß es nicht. Zum Glück. Ich frage mich, was aus Ragnar geworden ist. Wahrscheinlich hat er Enkelkinder und lebt mit seiner Frau Lagertha in so einem norwegischen roten Haus am See, wie sie auf den Covern von norwegischen Kriminalromanen stehen, vielleicht mit einer Hollywoodschaukel im Garten. Ob er sich an die Deutsche erinnern kann, mit der er einst einen Sommer verbracht hat? Ich frage mich, wie er reagieren würde, wenn ich ihm sagen würde, dass die achtzehnjährige Andrea nicht mehr lebt. Dass sie tot ist. Wahrscheinlich wäre es ihm egal, so wie einem das eben egal ist, wenn man sich ewig nicht gesehen hat. Egal, dass sie einfach nicht mehr da ist. Arschloch. Egal, dass Andreas Tochter Ida, die er gar nicht kennt und die ihm auch egal ist, aus der Wohnung flüchtet mit diesem alten, nicht richtig rollenden marineblauen Hartschalenkoffer, an den er sich nicht mehr erinnern kann und der ihm auch egal ist, und einfach alles zurücklässt.

III

Ich denke an die volle Wohnung, die ich zurücklasse, an die hässlichen Möbel, an meine Kiste mit Bildern, an meine Bücher, an Mamas Kleiderschrank, an ihre Klamotten in ihrem Kleiderschrank, an ihre Klamotten, die so lebendig nach ihr riechen, dass die Frau, der sie gehören, eigentlich nicht tot sein kann, nicht tot sein darf. Das süße Parfüm, die leichte Schweißnote, der Alkoholatem, das ist noch da, als würde sie sich im Schrank verstecken und das alles wäre nur ein großer Scherz. Es riecht so sehr nach Mama in ihrem Zimmer, dass ich alles zerschlagen könnte.

Bis zur Schlüsselübergabe muss ich das Zeug losbekommen. Drei Monate habe ich noch, und ich muss Tilda sagen, dass ich heute die Wohnung gekündigt habe.

Während ich die Fröhlichstraße entlanglaufe, google ich, was »Arschloch« auf Norwegisch heißt: *Drittsekk*. Dann google ich »Entrümpelung«, vor allem weil ich den Blicken in den Fenstern nicht begegnen möchte. Den Blicken der Drittsekker, die sich das Maul zerreißen über die Tochter der toten Alkoholikerin aus dem traurigen Haus, die viel zu leicht bekleidet, in einem kurzen Rock, einer pinken Lederjacke und mit einer großen schwarzen Sonnenbrille trotz des grauen Himmels, einen kaputten, alten marineblauen Koffer hinter sich herzerrt und auf ihrem Handy herumtippt, anstatt freundlich zu grüßen. Immer am Handy, diese Generation. Noch nicht mal bei der Beerdigung war die undankbare Göre. Als ich »Schonen Sie Ihre Nerven und sparen Sie sich Zeit und Geld. Professionelle Entrümpelung. Diskrete und schnelle Haushaltsauflösung« lese, stecke ich das Scheißteil zurück in meine Bauchtasche. Haushaltsauflösung. Auflösung. Dann löst sich alles auf, was noch von ihr da ist. Dann riecht nichts mehr nach ihr. Um die Entrümpelung können Tilda und Viktor sich kümmern. Die haben ja schon Übung darin. Ich blicke noch einmal zurück. Mein Fenster. Unsere hässliche Wohnung in dem hässlichen Haus. Und begreife: Ich werde da wahrscheinlich nie wieder reingehen.

An der Haltestelle schmeiße ich den Umschlag mit der Kündigung in den Briefkasten. Den Satz habe ich heute Morgen auf ein kariertes Blatt gekritzelt. Nach der Nacht war klar, dass ich da nicht bleiben kann. Dass ich sterbe, wenn ich bleibe. Und ich weiß nicht, ob ich sterben will.

Als ich in der Straßenbahn sitze und am Freibad vorbeifahre, schließe ich die Augen. Ich kann das nicht sehen. Es tut weh, weil es der zweite Abschied ist. Und als ich begreife, dass er endgültig ist, drehe ich mich doch noch einmal um, sehe den Eingang. Und es überschütten mich Eiswassereimer mit scharfen Eiswürfeln, die mir meinen Kopf und meine Schultern aufschneiden. Ich atme konzentriert ein und aus, 4-7-8, wie Viktor es mir erklärt hat, während ich Tilda vor mir sehe, der ich durchs Drehkreuz folge. Zuerst der Geruch nach Chlor und Regen und dann der Moment, in dem ich das Becken erblicke, das jedes Mal anders aussieht. Dampf, der aufsteigt, kleine Tropfen, die auf der Oberfläche tanzen, sie durchbrechen. Tilda spannt den Sonnenschirm über unserer Bank auf, wir legen unsere Rucksäcke und Kleidung ab, und ich durchbreche wie die Regentropfen die Wasseroberfläche.

Das Schönste ist eigentlich nicht das Tauchen und das Gefühl, schwerelos zu sein wie ein Fisch. Das Schönste am Tauchen ist Tilda. War Tilda. Tilda, die ich immer wieder im Augenwinkel gesehen habe, wie sie ihre Bahnen zog, wie sie danach auf der Bank saß. Wie sie einfach da war. Wie wir zusammen nach Hause gefahren sind, wie wir zusammen Abendbrot gegessen haben. Komisch, dass sich die Kindheit manchmal so schön anfühlt, obwohl sie auch richtig kacke ist. Ich fühle mich leer und voll.

Als Tilda dann nicht mehr da war, bin ich nur noch ins Hallenbad zum Training. Freibad ging nicht, weil zu schmerzhaft. Irgendwann mit 15 oder so habe ich dann wieder das Drehkreuz passiert, aber nur abends, wenn es regnete. Nicht weil ich immer noch so eine Schisserin wie damals war, sondern weil es dort einfach am schönsten ist, wenn es regnet. Ich bin ein paar Bahnen geschwommen, dazwischen immer längere Strecken getaucht – ohne Wettkampf im Kopf –, und wenn ich manchmal eine gute Schwimmerin im Augenwinkel gesehen habe, habe ich mir vorgestellt, dass es Tilda ist. Ich öffne die Augen, heute ist der Himmel grau, und es könnte jeden Moment anfangen zu regnen.

In dem Hartschalenkoffer sind nur Klamotten. Ich habe kein einziges Buch eingepackt, und jetzt sitze ich hier in der Straßenbahn und lasse, um nicht zu sehen, was am Fenster vorbeizieht, ein TikTok-Video nach dem anderen abspielen, ohne sie wirklich anzuschauen, bis die Meldung aufploppt, dass mein Datenvolumen fast leer ist. Ich stecke das Ding in die Bauchtasche und schließe meine Augen. Mir ist kalt und übel, mein Kopf pocht, und mein Bauch tut weh. Ich schließe die Augen noch fester, entspanne Arme und Beine und stelle mir vor zu schwimmen. Einen Wettkampf. Ich konzentriere mich auf meinen Körper, meine Muskeln, meine Arme und Beine, die schneller und stärker sein müssen, als sie es sind. Zieh durch, zieh durch. Das Wasser und ich eine Einheit. Das Rauschen im Ohr, das Ziel vor Augen. Dann: Rechts neben mir eine Schwimmerin, die ich abhängen muss. Eine schwarze Strähne, die aus ihrer roten Schwimmhaube rausschaut. Wer ist das? Das Haar kenne ich. Und den Geruch auch. Hypnotic Poison von Dior, immer ein bisschen zu viel, und eine Note Kreuzkümmel. Das muss Samara sein. Aber Samara schwimmt gar nicht. Samara hasst Schwimmen. Ich habe es ihr beigebracht, als sie zwölf war, im Hallenbad, und sie fand es schrecklich. Wasser sei einfach nicht ihr Element, hat sie gesagt.

Sie sei ein klassisches Erdzeichen, hat sie immer gesagt. »Sternzeichen sind so ein Scheiß«, habe ich immer gesagt.

Samara: Du bist auch ein Zwilling. Zwillinge glauben oft nicht an Sternzeichen.

Ich öffne die Augen und schaue aus dem Fenster, auf die Felder. An ihrer Wohnsiedlung sind wir schon längst vorbeigefahren. Samara wohnt mit ihrer Familie in einem hässlichen Wohnblock. In einer Dreizimmerwohnung. Ganz warm ist es dort. Die Wände sind orange und gelb gestrichen, das Herzstück der Wohnung, Wohn- und Esszimmer, ganz klein und irgendwie kuschlig. Das gemütliche braune Ledersofa mit den glänzenden violetten und blauen Kissen, der rote Perserteppich, der alte Glastisch mit den goldenen Beinen, der silberne Kerzenständer darauf, in dem jedes Mal andere Kerzen drinstecken, und der massive Eichenesstisch mit den weißen gepolsterten Stühlen drumherum. Und die Fensterbank voller Orchideen, in allen Farben und unterschiedlichen Töpfen. In dieser bunten, stets blitzblank geputzten Wohnung passt kein Möbelstück zum anderen, aber alles zusammen wirkt so harmonisch, dass es wenige Orte gibt, an denen ich mich so wohlfühle. Und der Geruch dort, das süße Parfüm der Mutter, Kreuzkümmel, Zimt, Orchideen, Vanille-Duftkerzen und Pfeife. Ich war gerne und oft dort, liebe das Zuhause und die Eltern von Samara und vermisse sie. Seit zwei Monaten war ich nicht mehr da.

Samara ist in dieser Zeit in regelmäßigen Abständen zu mir gekommen, hat ohne Vorankündigung einfach geklingelt, mit einem Sack voller Fake-Tupperware gefüllt mit arabischen Spezialitäten ihrer Mutter und mit einem Berg ausgedruckter Texte aus der Uni. Auf jedem Text stand oben rechts Datum und Titel der Vorlesung oder des Seminars. Die meisten Texte habe ich nicht mal gelesen, als ich noch in die Uni gegangen bin, geschweige denn ausgedruckt. Aus schlechtem Gewissen Samara gegenüber habe ich dann doch ein paar gelesen. Die Texte zur Literaturanthropologie um 1900 waren ganz cool.

Eigentlich wollte ich nie Literatur studieren, das war eine Übergangslösung, bevor ich dann irgendwann in Leipzig angenommen werden würde. Aber sowieso scheint mein ganzes Leben eine Art Übergangslösung zu sein.

Samara ist viel zu gut für mich. Sie wünscht mir per WhatsApp jeden Morgen einen Guten Morgen und jeden Abend eine Gute Nacht. Immer in unterschiedlichen Variationen, mal überschwänglich mit Emojis, mal schlicht, mal auf Französisch und mal auf Englisch. Ich antworte so gut wie nie.

Ich liebe Samara, sie ist das Beste, was mir je passiert ist, und das meine ich ganz unpathetisch. Die Erinnerungen an unsere Freundschaft und das Gedankenspiel, dass es irgendwann wieder so wie früher sein könnte, dass wir irgendwann wieder einen Samida-Wochenendtrip in eine Großstadt, nach Basel oder nach Riga ans Meer machen könnten, sind das Einzige, das mich manchmal vor sehr dummen Entscheidungen bewahrt.

Ich hole das Scheißteil aus der Bauchtasche, öffne den Chat.

Samara: *Hier die Zusammenfassung der Vorlesung »Intermedialität« am 14.06.*

Samara: *Foto ihrer ordentlichen Notizen*

Samara: *Ich habe es dir auch als PDF via Mail geschickt*

Samara: *Guten Morgen Ida*

Samara: *Prof. Kuhn ist so ein Depp*

Samara: *Mama fragt, ob sie lieber Halva oder Falafel für dich machen soll?*

Samara: *Hab Halva gesagt*

Samara: *Du magst ja süß lieber, oder?*

Samara: *bonne nuit*

Samara: *Hab dich lieb*

So geht das jeden Tag, und es würde mir fehlen, wenn sie damit aufhören würde. Das erste Mal tippe ich eine Antwort.

Ich: *Hi Samara*

Ich: *Ich bin jetzt erst mal weg*

Samara tippt.

Samara: *Wohin gehst du denn???*

Ich: *Wahrscheinlich zu Tilda*

Samara: *Wahrscheinlich???*

Samara ruft an. Ich geh nicht ran, schließe wieder die Augen und schwimme.

Im Hauptbahnhof schaue ich auf die Anzeigetafel. In 15 Minuten fährt ein Zug nach Hamburg. Tilda hat mir gestern Nacht während meines Anrufs via WhatsApp ein Flex-Ticket nach Hamburg geschickt. Ich dachte, ich hätte einen Herzinfarkt, und wusste nicht, wen ich anrufen soll. Klassische Panikattacke, hat Viktor gesagt, und ich finde es immer noch fast ein bisschen unverschämt, eine Nahtoderfahrung so abzutun. Panikattacke, kannte ich bisher nur von Instagram und TikTok.

Ich ärgere mich, dass ich aufgrund des vermeintlichen Herzinfarkts schwach geworden bin und den Kanal zu Tilda von meiner Seite aus geöffnet habe, aber ich dachte wirklich, ich sterbe. Jetzt denkt sie wahrscheinlich, dass ich wirklich Hilfe brauche, und wird mich wieder bombardieren mit Fragen und Ratschlägen. Seit dem Anruf in der Nacht von Mamas Tod habe ich sie keinmal angerufen. Sie war es immer, die angerufen hat oder vorbeigekommen ist. Und ich war es, die nicht rangegangen ist oder die einsilbig geantwortet hat, wenn ich das Gespräch nicht im Vorhinein unterbinden konnte. *Lass mich, Tilda. Mir gehts gut. Ich brauch dich hier nicht.* Ich weiß noch nicht mal, warum ich so zugemacht habe, warum ich so kacke bin zu ihr. Aber da ist so ein Wutklumpen in meinem Bauch, der Besitz von mir ergreift und Tilda anfaucht. Und ich weiß noch nicht mal, gegen wen oder was, ob der Wutklumpen sich gegen Tilda richtet oder gegen mich oder gegen alles, und es macht mich so wütend, dass ich nicht weiß, gegen wen oder was sich der Wutklumpen richtet, dass ich mir am liebsten mit einem Brotschneidemesser jeden Finger einzeln abschneiden würde. Ganz langsam oder ganz schnell.

Der Wutklumpen will auch nicht nach Hamburg. Ein Teil von mir will schon nach Hamburg. Ein Teil von mir erträgt es nicht mehr, allein zu sein, und sehnt sich danach, sich von Tilda bemuttern zu lassen. Ich denke an Tilda, Viktor und die Kleinen. Ich denke an Arme Ritter mit Vanillesoße, die Tilda mir zubereiten würde. Und ich denke an die Worte, die sie wieder sagen würde: »Du bist nicht schuld«, »Sie war am Ende«, ihre Fragen: »Du hast die Wohnung gekündigt?«, »Was hast du jetzt vor?«, »Wo willst du wohnen?«, »Willst du dein Studium abbrechen?«, und schaue mir währenddessen in der DB-App die Strecken der Züge an, die in Hamburg halten und weiterfahren. Ein ICE fährt bis nach Stralsund. Ostsee. Das klingt doch gut. Fährt aber erst in zwei Stunden.

Seit ich nicht mehr schreibe, hasse ich Warten. Deswegen muss ich die zwei Stunden irgendwie füllen. Im Rossmann kaufe ich ein paar Snacks und Getränke für die Fahrt. Selbstbedienerkassen sind echt klasse. Aufgrund der AirPods und der Musik in meinen Ohren kann ich das Piepen leider nicht hören, scanne deswegen versehentlich nur jedes zweite Produkt richtig ein und packe Mamba, Billy-Tiger-Maisstangen, Cola Zero und ein Überraschungsei in meinen Rucksack. Im Zeitschriftenladen im Bahnhof gibt es nur trashige Liebesromane und Krimis, für die es sich nicht lohnt, über 10 Euro auszugeben. Und Bücher klaue ich aus Prinzip nicht. Ich blättere in ein paar Klatschzeitschriften, die Kardashians und ihre Leihmütter, der Saftkur-Wahn der Stars, und gehe zu Gleis 8, setze mich auf die Bank und zünde mir eine Zigarette an. Ein mittelalter Mann neben mir räuspert sich. Er räuspert sich wieder. Wehe, er spricht mich an. So ein Alman hat mir jetzt gerade noch gefehlt. Er räuspert sich wieder.

Der Mann: Junge Dame. Der Raucherbereich ist da vorne.

Ich fühle mich nicht angesprochen.

Der Mann räuspert sich wieder.

»Hier darf man nicht rauchen«, sagt er viel zu laut und unfreundlich.

Ich drehe mich langsam zu ihm.

Ich: Sorry, what did you say?

Der Mann ist wie erwartet nicht vorbereitet auf einen Sprach-wechsel, zeigt dann mit dem Finger auf den Raucherbereich und raucht pantomimisch, »Da! Rauchen!«, ich zucke mit den Schul-tern, »Sorry, I don't understand«, und beobachte, wie es in seinem Kopf rattert. Er steht auf, läuft um die Bank herum und setzt sich auf den Platz, der am weitesten von meinem entfernt ist, während er »Scheiß Amis« vor sich hin brabbelt.

Arschloch. Ich zünde mir noch eine Zigarette an, obwohl mir schon schlecht ist.

Das Bahngleis ist brechend voll, weil der vorherige ICE Richtung Hamburg ausgefallen ist. Ich dränge mich in den Zug, will auf kei-nen Fall stehen, wenn ich schon mal ein Ticket habe, aber alle freien Plätze sind reserviert. Ich finde einen Vierer, in dem nur zwei Plätze reserviert sind, setze mich ans Fenster und hoffe auf keine nervigen Sitzpartner. Neben mich setzt sich ein junger Mann um die 30. Schwarzer Anzug, er meidet Blickkontakt, hat offensichtlich genauso wenig Bock auf Konversation wie ich. Er fragt noch nicht mal, ob der Platz frei ist, stellt, sobald er sitzt, sein iPad auf und schaut die zweite Staffel *Succession*. Ich mag die Se-rie, schaue ein bisschen mit. Er bemerkt es, wir wechseln kurz ei-nen Blick, und es scheint ihn nicht zu stören. Zumindest unter-nimmt er nichts dagegen. Als ich kurz davor bin, den Mann zu fragen, ob ich meine AirPods mit seinem iPad verbinden darf, kommt eine Frau mit einem Mädchen, sie setzen sich zu uns in den Vierer, und meine Aufmerksamkeit wechselt von einer creepy Familie zur anderen.

Die Mutter: So, Lia, das sind unsere Plätze.

Lia setzt sich mir gegenüber ans Fenster, und wir mustern uns. Sie ist circa fünf Jahre alt, zwei hellblonde geflochtene Zöpfe und gro-ße neugierige braune Augen.

Die Mutter: Wir sind nun vier Stunden unterwegs.

Lia und ich schauen zu der Mutter, die den Rucksack moderierend auspackt, als wäre es eine Performance.

Die Mutter: Wir haben hier mehrere Programmpunkte. Du darfst immer nur eine Sache machen. Teil es dir gut auf.

Die Mutter packt eine Metallbrotbox aus und legt sie auf den Tisch.

Die Mutter: Du kannst essen.

Die Mutter packt eine Zeitschrift aus und legt sie auf den Tisch.

Die Mutter: Die *GEOlino* anschauen.

Die Mutter packt ein Tablet aus.

Die Mutter: Eine Folge *Benjamin Blümchen* schauen.

Die Mutter packt ein Buch aus. Eins von dieser Insel-Reihe, *Little People, BIG DREAMS. Frida Kahlo.* Damit die Kinder früh lernen, BIG DREAMS zu entwickeln, und entweder kleine Einsteins, Lindgrens oder Kahlos werden. So ein Scheiß, denke ich.

Die Mutter: Oder ein Buch anschauen.

Die Mutter: Womit willst du anfangen? Oder willst du erst einmal aus dem Fenster schauen?

Lia und ich schauen auf den Tisch, der voller Programmpunkte ist.

Ich packe meine Programmpunkte auch aus: Smartphone, Überraschungsei, Mamba, Cola Zero und die Billy-Tiger-Maisstangen, die mich irgendwie gar nicht mehr ansprechen.

Lia schaut auf mein Überraschungsei und sagt: »*Benjamin Blümchen*«.

Ich sage nicht: »Ich schaue erst einmal aus dem Fenster«, weil das ja nicht meine Mama ist. Während wir an Wäldern, Bergen und Feldern entlangfahren und Lia eine Folge *Benjamin Blümchen* schaut, frage ich mich, wo Lia mit ihrer Mutter hinfährt. Zu ihrem Papa, schätze ich, oder zu den Großeltern oder wieder zurück nach Hause.

Lia: Ich will nicht mehr sitzen.

Ich will auch nicht mehr sitzen, aber irgendwie schaffe ich es, die Zugfahrt mit meinen Programmpunkten herumzubekommen. Bis Hannover schaue ich *Succession*, sogar mit Ton. Der Mann hat, während wir geschaut haben, die Bluetooth-Einstellungen geöffnet und mich fragend angeschaut. Ich habe auf »Idas AirPods« gedrückt. Als er dann irgendwann das iPad einpackt, nickt er mir zum Abschied zu.

Als er weg ist, widme ich mich dem Überraschungsei. Lia, die gerade mit dem Programmpunkt *GEOlino* beschäftigt ist, schaut mir zu.

Lia: Ich will auch essen.

Die Mutter öffnet die silberne Brotbox, in der sich eine braune Masse befindet, die stinkt.

Lia: Was ist das?

Die Mutter: Linsen-Bulgur-Salat mit Karotten.

Ich öffne die gelbe Überraschungskapsel, in der sich die Disney-Prinzessin Mulan befindet. Cool. Danach schaue ich auf meinem Smartphone ein Reaction-Video zu der neuen *Bachelorette*-Folge und schäme mich dafür. Daraufhin ziehe ich mir eine Arte-Doku über alte Balletttänzer rein, die traurig sind, dass ihre Karriere vorbei ist.

Kurz vor Hamburg schließe ich dann die Augen und tue so, als würde ich schlafen, während ich mit leiser Musik in den Ohren den Durchsagen lausche. Eigentlich müsste ich es bis zur Endstation schaffen. Die machen jetzt keinen Personalwechsel mehr, und wenn, dann habe ich meinen Halt verpasst und lande in Schwerin, Bützow, Rostock oder Velgast. Immer wieder döse ich ein, vermutlich weil ich zwei Tage lang gar nicht geschlafen habe, denke im Halbschlaf ganz kurz an gestern, an die Stille, an Mamas Zimmer, ihren Kleiderschrank, den Geruch, ihren Geruch und schrecke auf. Ich bin hellwach, will nicht mehr sitzen und erhöhe die Lautstärke maximal.

»Anruf von Tilda«, sagt Siri, ich sage: »Nein«, und die Musik spielt weiter. Wieder sagt Siri: »Anruf von Tilda«, ich sage wieder: »Nein«. Dann sagt Siri: »Anruf von Viktor«, ich nehme das Smartphone aus der Bauchtasche, lehne ab, damit ich nicht wieder Nein sagen muss, und warte auf neue Anrufe, die ich ablehnen kann. Tilda ruft noch einmal an, dann ploppen mehrere Nachrichten auf. Sie fragt: »kommst du?«, »wann kommst du?«, »ida?«, »???«, Viktor fragt: »Soll ich dich am Bahnhof abholen?«, ich antworte: »Nein. Sorry. Ich schalte den Flugmodus an«, und schalte den Flugmodus an. Wahrscheinlich sollte ich das Smartphone schnellstmöglich loswerden. Viktor schafft es bestimmt, mich zu finden, indem er sich in mein Handy oder MacBook hackt. Oder Tilda rechnet aus, mit welcher Wahrscheinlichkeit ich in welchen Zug gestiegen bin. Sie weiß, dass ich kein Geld für einen Zug habe. Sie weiß, dass ich pleite bin. Als sie letztes Mal da war, vor zwei Wochen oder so, hat sie den Briefkasten geleert, und da waren ein paar Mahnungen und die fristlose Kündigung vom Café drin. Tilda hat mir daraufhin sofort per PayPal 600 Euro überwiesen, obwohl sie weiß, dass ich kein Geld von ihr annehme. Ich habe ihr 620 Euro zurücküberwiesen. Es ist schon schlimm genug, dass sie monatlich Geld auf unser Familienkonto einzahlt und ich deswegen nie ganz unabhängig von ihr sein kann, sein konnte. Tilda weiß, dass meine Schufa und ich am Arsch sind, und hofft, dass ich vernünftig bin und einfach das Zugticket benutzen werde. Und sie wird herausfinden, in welchem Zug ich sitze. Das geht bestimmt über diesen blöden QR-Code. Aber letztlich ist das ja auch egal. Sie kann ja wissen, wo ich bin, ich will sie einfach nicht sehen. Ich will allein sein. Wenn ich an das Mitleid in ihren Gesichtern denke, an Tildas Tatendrang, mit dem sie mir helfen will, die Pläne, die sie schmiedet, die Listen, die sie schreibt, an Viktors Zurückhaltung, würde ich MacBook und Smartphone am liebsten beim nächsten Halt auf die Gleise werfen. Ich will sie so gerne sehen, dass es schmerzt. Auch die Kleinen.

Wegen des Flugmodus kann ich jetzt auch nichts mehr auf meinem Handy schauen. Ich könnte was auf meinem MacBook schauen, aber das kann ich nicht öffnen, weil die Tasten mich anbrüllen. Also sitze ich da, mit dem Kopf am kühlen Fenster, mit geschlossenen Augen und versuche, die Gedanken auszuschalten. Ich will an nichts denken. Ich will nur an das Draußen denken. Öffne die Augen und schaue die Bäume an und den Himmel, der schön aussieht, weil die Wolken sich so dramatisch vor dem Hellblau aufbauschen. Aber was soll ich noch anderes über den Himmel und die Bäume denken, außer dass sie schön sind. Ich denke an Mamas Grab, das jung ist und auf dem keine Blumen sind. Oder vielleicht sind auf Mamas Grab auch Blumen. Vielleicht war Ragnar oder ein anderer Verflossener dort, oder vielleicht hatte eine Oma, die täglich das Grab ihres Mannes besucht, Mitleid mit diesem leeren Grab dieser viel zu früh Verstorbenen. Ich weiß nicht, ob Blumen auf Mamas Grab sind, ich war ja noch nicht da. Aber ich denke, dass keine Blumen auf Mamas Grab sind.

—

Hat Ihnen dieser Roman gefallen?

Dann melden Sie sich gerne auf unten stehender Website an oder scannen Sie den QR-Code, um keine Neuigkeiten zu verpassen, die Caroline Wahl betreffen:

dumont-buchverlag.de/caroline-wahl

Ganz egal, ob die Ankündigung eines neuen Romans, eine entsprechende Vorab-Leseprobe oder exklusive Inhalte und Angebote auf dem Weg dorthin – wir versorgen Sie mit vielen interessanten Informationen.

www.dumont-buchverlag.de